멸치는
왜
태어났을까

이성애 수필집

예 지
Wisdom Publishing

멸치는 왜 태어났을까

글쓴이 이성애

1판 1쇄 인쇄 2023. 6. 10.
1판 1쇄 발행 2023. 6. 20.

펴낸곳 예지 **|** **펴낸이** 김종욱
편집 디자인 예온

등록번호 제 1-2893호 **|** **등록일자** 2001. 7. 23.
주소 경기도 고양시 일산동구 호수로 662
전화 031-900-8061(마케팅), 8060(편집) **|** **팩스** 031-900-8062

ⓒ LEE, Seong-ae 2023
Published by Wisdom Publishing, Co.
Printed in Korea

ISBN 979-11-87895-41-1 03810

예지의 책은 오늘보다 나은 내일을 위한 선택입니다.

이별의 다리를 건넜다
작은오빠는…

이 책을 그의 영정에 바친다

멸치와 나

깡촌 장흥에서 해와 달과 바다와 함께 구릉에서 구르며 놀다가
도시로 나오니, 사람과 바람과 폭우가 휘몰아쳤다. 나의 삶은
어쩌면 멸치의 삶과 유사한지도 모르겠다. 멸치는 바닷속에서
자유롭게 살다가 육지에 와서 사람과 불과 열 속에서 다른 모
습으로 변화되고 승화되어 간다.

　나 또한 멸치와 같은 과정을 거치다 보니 '글씨앗'이 내 안에
나도 모르게 떨어져 있었다. 깡촌에 살던 아이는 유치원도 모
르고 문학이라는 과외도 받지 않았다. 그저 자연과 사람 속에
서 펄떡펄떡 뛰다보니, 내 안에서 글이 벌떡벌떡 뛰고 있었다.

새로운 땅에서 살아온 시간이 고국 땅에서 살았던 시간보다도 더 길고 멀리 와 있다. 아무리 멀리 와 있어도 가고픈 길은 여전히 마음속에 남아 있다. 모국어를 향한 갈증. 그게 멸치의 마음이 아닐까. 살아온 길과 살아가야 할 길 사이에 놓인 낯선 도전들. 그 도전들 앞에서 멸치는 식탁의 생소한 언어를 새롭게 익혀가고, 나는 타인들의 언어를 오늘도 더듬더듬 배워간다.

　멸치는 고작 이삼 년을 살지만, 우리에게 색다른 모습으로 영원히 사는 법을 알려주고 있다. 나 또한 멸치처럼 다른 곳에서 하는 다른 경험들이 다른 모습으로 쌓여가고 있음을 안다. 그 경험들이 내 안에서 글로 성장해 나를 툭툭 건드리곤 한다. 그럴 때마다 끼적거리다 보니 이 수필집이 완성되었다. 새로움은 늘 생소하다. 이 수필집 출간이 나에게 그렇다. 그동안 겁도 없이 장편소설만 써 왔다. 이 수필집 출간으로 인해 다른 장르의 생소함이 익숙함으로 다가서길 기대해 본다.

여름의 소리를 들으며, 유월에
이성애

차례

제2부

너도
　　약해지지
마

제3부

인생은
　　　머물지 않는
바람

제1부

클레오파트라가

살고

있었다

소를 삼킨 파리

명석한 두뇌와 희멀겋고 말끔한 외모에 잔머리를 좀 굴리는 별난 작은오빠가 우리집에서 책임지고 있는 일이 딱 한 가지 있었다. 보물 제1호인 소의 꼴을 먹이는 일이었다.

소에게 꼴을 먹이는 일은 그다지 힘들지 않았다. 소를 끌고 나가 풀이 많은 들판이나 언덕을 찾아다니면서 소로 하여금 알아서 먹게끔 해주면 되었다. 나는 동생을 업고 소에게 꼴을 먹이러 다니는 오빠를 종종 따라나섰다. 별 재미있는 놀이도 아닌데 오빠에게 충성심을 발휘했던 이유는 다른 데 있었다. 오빠가 가끔 눈깔사탕을 주었기 때문이다. 그렇다고 그 사탕이 온전히 공짜는 아니었다. 가끔 오빠가 소를 먹이러 나온 다른 친구들과 서리를 하러 가면 오빠 대신 소를 지키는 유능한 목자의 역할을 내가 톡톡히 해내곤 했기에 주어진 보상이었다.

그날도 오빠는 소를 몰고 할아버지와 할머니의 산소 근처로 향했다. 나 역시 동생을 업고 따라나섰다. 그곳에는 소나무가 빽빽하니 들어서 있었다. 어린 아기의 살갗처럼 보드라운 풀들이 성깔 사나운 여름 햇빛을 피할 수 있는 안전한 은신처로 안성맞춤이었다. 오빠는 작달막한 소나무에 소의 고삐를 묶었다. 소는 별다른 저항 없이 얌전히 있었다. 이제부터 오빠가 할 일은 별로 없었다. 소가 스스로 풀을 뜯어먹어야 하는 시간이었으니까. 그날은 친구들과 함께 꼴을 먹이러 온 것도 아니었기에 무언가 작당할 일도 없었다. 무료한 시간이 주는 보상은 낮잠이었다. 오빠는 널찍한 바위에 드러누워 모자로 얼굴을 가리고 낮잠 속으로 미끄러졌다. 나에게 소를 지키라는 부탁도 하지 않았다. 소의 고삐가 묶여 있었으니까.

나는 업고 있던 동생을 내려 풀밭에 앉혀 놓고 신작로에서 주워온 돌로 1인 2역 소꿉놀이를 하면서 간간이 소가 풀을 잘 뜯고 있는지를 살폈다. 짧은 고삐 때문에 소는 주변을 벗어나지 못한 채 풀을 뜯고 있었다. 가시처럼 찌르던 햇볕의 힘이 누그러들기 시작했다. 오빠를 흔들어 깨웠다. 오빠는 해가 기울어가는 것을 보고 돌아갈 채비를 서둘렀다. 나도 정성스럽게 차린 상을 아깝지만 흐트러버리고 동생을 들쳐 업었다. 소는 어지간히 풀을 뜯어 먹었는지 서서 계속 되새김질을 하고 있었다. 오빠는 소나무에 묶어 놓았던 고삐를 풀어 소 엉덩이를 "이랴!" 하는 소리와 함께 힘껏 쳤다. 그러자 되새김질을 하고 있던 소가 깜짝 놀라 앞으로 퉁 튀어나갔다. 그 찰나 내 시야에 뻥 뚫린 구멍 하나가 클로즈업 되어 들어왔다. 순간적으로 원래 소 거시기에 저렇게 큰 구멍이 뚫어져 있었나 생각하며 고개를 갸웃거렸다. 오빠도 동시에 그런 생각을 했는지 잠시 그 구멍을 신기한 듯 쳐다보다가 옆에 있는 소나무로 눈길을 돌렸다. 여름 햇볕에 지친 소나무 가지에 밤색 밧줄이 칭칭 감겨져 있었다. 그건 밧줄이 아니고 소의 꼬리였다! 소는 아프다고 날뛰거나 울부짖지도 않았다. 꼬리는 빠졌지만 소가 죽은 것도 아니고 해서 엉킨 꼬리를 풀어서 오빠는 어깨에 걸치고 집으로 돌아왔다.

논일을 마치고 돌아온 아버지는 여느 때와 마찬가지로 탈곡하고 남은 볏단과 콩깍지 등을 삶으면서 오늘 소에게 꼴을 잘 먹였는지 작은오빠에게 물었다. 오빠의 표정은 대낮처럼 밝았다. 태연스럽게 배불리 먹였다고 대답했다. 그 대답에 아버지의 표정은 매우 흡족해 보였다. 아버지는 다 쑨 여물을 들고 대문간 옆에 있는 외양간으로 들어갔다. 부드럽고 애정 어린 아버지의 목소리가 소가 여물을 먹는 동안 간간이 섞여 들려왔다. 소꼬리가 빠져도 큰일이 아닌가 보구나 하는 생각을 할 때였다. 아버지의 목소리가 뚝 끊어졌다. 침묵의 뒤를 이어 튀어나온 아버지의 외침! "이놈아, 이거이 뭔 일이여!" 외침과 함께 외양간에서 투다닥 튀어나오는 아버지의 모습에 반사적으로 튀는 또 한 사람의 그림자, 오빠.

송아지를 잘 키워 자식들의 학자금 밑천으로 쓰겠다던 아버지의 꿈이 산산조각 나고 만 것이다. 꼬리가 없는 소는 파리를 쫓지 못해 결국 죽게 된다는 엄마의 한탄. 어린 난 동물의 꼬리에 대한 역할을 소상히 알지 못했기에 그저 엄마의 말씀대로 꼬리가 없으면 파리를 쫓지 못해 소가 죽는다는 사실이 슬플 뿐이었다. 그렇게 우리 아버지의 꿈이었던 소는 농사일도 못 거들고 새끼도 못 치고 도살장으로 헐값에 팔려가는 신세가 되고 말았다.

소가 팔려가던 날 아침, 아버지의 눈도 소의 눈처럼 벌개 있었다. 마지막으로 소를 어루만지고 있던 아버지의 목울대가 불뚝 올라오더니 툭 떨어졌다. 아버지의 마지막 손길을 느꼈는지, 소는 고개를 돌려 눈물이 그렁그렁한 눈으로 아버지를 바라보았다. 짬만 나면 소와 대화를 나누던 아버지의 입은 굳게 닫혀 있었다. 소는 한참 동안 아버지를 바라보다가 천천히 아주 천천히 걸음을 떼었다. 대문을 나서는 소의 엉덩이에 윤기가 자르르 흐르는 똥파리가 어디선가 휘익 날아와 찰싹 달라붙었다. 꼬리가 없는 소는 그 어떤 저항도 하지 못하고 터벅터벅 대문을 벗어나고 있었다.

사라진 언덕

우리집에서 꿩도 먹고 알도 먹자는 심산으로 암소를 키우던 중에 소꼬리가 뽑히는 대형 사고가 일어났다. 소가 새끼를 낳으면 돈도 벌고, 그 돈으로 자식들 공부도 시키겠다는 부모님의 부푼 기대감이 한순간에 사라진 것이다. 꼬리가 없는 소는 아무짝에도 쓸모가 없다는 엄마의 설명이었다.

요즘에야 컴퓨터 키보드만 두드리면 동물 꼬리가 어떤 기능을 하는지 상세히 알 수 있는 시대에 살고 있지만, 우리 부모 세대는 달랐다. 생활 속에서 관찰된 지식이 총체를 이루던 때였기에 동물 꼬리가 몸의 균형추 역할을 한다거나, 달릴 때 방향 전환에 용이하다는 점 등을 설사 알았다 하더라도 큰 관심사항은 아니었을 것이다. 그렇다고 촌부인 엄마의 주장이 영 틀린 건 아니었다. 소의 긴 꼬리는 몸에 달라붙은 파리를 쫓는 역할도 있으니 말이다. 엄마의 설명대로 꼬리가 뽑힌 소는 무용지물이었기에 도살장에 헐값으로 팔 수밖에 없었다.

소는 그렇게 사라지고 없는데 집에서는 소꼬리 후유증이 연달아 일어나고 있었다. 물론 그 후유증의 중심에는 작은오빠가 있었다. 소가 없는 우리집 외양간은 을씨년스럽기 이를 데 없었다. 집골목을 들어서면 바리톤으로 음~메~ 하던 발성 연습도, 비올라의 A선 선율처럼 사각거리던 여물 씹는 소리도, 드럼 판을 봉으로 탕~탕~ 두들기듯 파리를 쫓기 위해 꼬리로 엉덩이를 탁~탁~ 치던 힘찬 박자도 더 이상 들리지 않았다.

명예퇴직도 아니고 대형사고로 하루아침에 소 꼴 먹이는 무보수 알바에서 해고를 당한 초등학생이었던 오빠는 학교를 갔다 오면 일이 없어 몸이 근질근질했던 모양이다. 동네 아이들을 우리집 마당으로 불러들여 팽이치기에 열을 올리기 시작했다. 나는 젖먹이 동생을 마루에 앉혀 놓고 팽이치기 대결을 지켜보곤 했다. 오빠는 일 년에 하나 사줄까말까 하는 귀한 색연필로 팽이의 윗부분을 무지개색으로 정성껏 칠했다. 자신의 팽이가 멋지고 화려한 모습으로 가장 오래 돌게 하기 위해 오빠는 별의별 수를 다 부렸다.

그런데 팽이 못지않게 중요한 게 팽이채였던 모양이다. 오빠는 대여섯 살 난 아이의 팔 길이만 한 막대기를 반질반질하게 다듬었다. 엄마가 쓰다 남겨 둔 천조각을 넓이 1센티 길이 30센티 정도의 끈을 4~5개 정도 만들어 막대기에 묶은 다음, 그 천이 너덜거릴 정도로 팽이를 쳐댔다. 그런데도 성이 차지 않았던지 오빠는 팽이를 치다 말고 부리나케 안방으로 뛰어 들어갔다. 아버지가 방 귀퉁이에 걸어 둔 소꼬리를 들고 나왔다. 소꼬리의 끝은 뭉텅하지 않고 나풀거려 팽이채로 쓰기에 안성맞춤으로 보였다. 오빠는 오만한 표정으로 소꼬리를 어깨에 턱 걸치고 토방을 내려섰다. 그때까지 소리를 지르며 자신의 팽이가 가장 오래 돌도록 응원하던 아이들의 왁자지껄한 소리가 일순간에 잦아들었다. 그 어느 누구의 팽이채와도 비교가 되지 않는, 생전 처음 보는 팽이채를 본 때문이었다. 오빠가 그 소꼬리로 팽이를 따~악~ 치자, 팽이가 신들린 듯 돌기 시작했다. 오빠는 돌고 있는 팽이 앞에서 턱을 약간 치켜들고 팽이의 달인이란 듯 뻐겨댔다. 그 팽이채로 하여 오빠는 동네 아이들 위에 우뚝 군림하게 되었다.

그러나 그 기쁨도 잠시, 해가 아직 쨍쨍한데 논에 일을 나가셨던 아버지가 집에 돌아와 버린 것이 아닌가! 아버지의 눈에 번쩍하고 불빛이 일었다. 그 소꼬리를 보자 도살장에 헐값에 넘길 수밖에 없었던 소가 생각이 나신 모양이었다. 부아가 치밀대로 치민 아버지는 오빠 손에 들려 있는 소꼬리를 뺏어 들더니 매타작에 들어갔다. 그날 오빠는 뒈지게 맞았다. 그래도 화가 덜 풀렸던지 아버지는 오빠에게 이제 학비 밑천인 소도 없어졌으니 중학교를 가든 말든 알아서 하라고 엄포를 놨다. 아버지의 엄명을 거역할 수 있는 사람은 우리 가족 중 그 누구도 없었다. 아버지의 그런 으름장에 엄마를 비롯해 상황 판단을 하는 언니나 난 벌벌 떨고 있는데, 정작 작은오빠 본인은 태연했다.

중학교 입학원서 제출 일자가 다가오자 담임까지 찾아와 사정을 했으나 아버지의 결심은 변하지 않았다. 그제야 오빠의 눈이 다급함으로 깜박거렸다. 시간이 지나면 아버지의 화가 풀리겠지 내심 기대했던 모양이다. 소의 도살장행 2년이 아버지에게는 어제의 일로, 오빠에게는 20년 전의 일로 기억되었던 것이다. 비빌 언덕이 사라져버린 사실을 알게 된 오빠는 그제야 골방에 틀어박혀 책과 씨름하기 시작했다. 혼자 힘으로 중학교를 가기 위한 몸부림의 시작이었다. 달빛에 비춰진 앉은뱅이 책상 앞에 앉은 오빠의 그림자는 하얀 창호지 문에 박제된 문형과도 같았다.

억울함에 대하여

〰〰 자식은 절망 속에 핀 희망일 수
있고, 인고의 세월 끝에 맺힌 열매일 수 있다.

우리집에도 엄마에게 인고의 세월을 살게 한 자식이 있다. 작
은오빠다. 오빠의 뒷모습을 바라보며 눈물짓던 엄마 영상이 지
금도 내 앞에 떠 있다. 얼마나 잔꾀가 많았으면 초등학교 성적
표에 "잔머리를 굴림"이라는 멘트를 인장처럼 찍어놓았을까!
어쩌다 한두 번 굴린 것을 가지고 담임선생님이 평생 지문처럼
남겨질 성적표에 그렇게 쓰진 않았을 것이다. 그런 오빠에게 세
상은 총천연색이었다.

오일장이 서는 날이면 오빠는 몸이 근질거려 집에 있질 못
했다. 매일 동네 아이들의 혼을 사로잡아 한번 뻐겨보고 싶어
하는 오빠에게 오일장은 그야말로 환상의 세계였다. 장터에서
보았던 모든 것을 사족까지 덧붙여 한 편의 영화를 만들어내

면, 동네 아이들은 넋을 잃고 환상의 세계로 빠져들었다. 존경의 눈빛과 함께.

그날도 오일장이 선 다음날이었다. 나는, 늘 그렇듯, 엄마가 밭일을 나가면서 등에 업혀 준 젖먹이 동생을 업고 있었다. 등에 업힌 동생은 절대로 떼어낼 수 없는 나의 분신이었다. 동생을 업고 고무줄이며 사방치기, 달리기는 말할 것도 없고, 종종 그대로 쓰러져 잠이 들기도 했다. 그렇게 아기를 업은 채 오빠가 일을 저지르는 곳에 나 또한 함께 했다. 일을 저지르는 고수 옆에는 이유를 묻지 않고 따르는 심복이 필수인 것처럼. 오빠도 나의 그런 복종에 무척이나 만족스러워하는 것 같았다.

오빠가 큰일을 저지를 때는 주로 방학 때였다. 그날 오빠는 오전부터 부엌에서 부산스럽게 움직였다. 나 또한 부엌 주변을 어슬렁거렸다. 언제 어떤 심부름이 떨어질지 모르기 때문이었다. 드디어 오빠가 나를 불렀다. 오늘은 어디에서도 보지 못했던 불꽃놀이를 보여줄 테니 동네 아이들을 빨리 불러오라는 것이었다. 오빠의 명이 떨어지기가 무섭게 헐떡거리는 검정고무신을 신고 동생이 포대기 밑으로 미끄러지는 줄도 모르고 뛰어다니며 아이들을 모았다. 열댓 명이 우리집 부엌으로 모여들었다.

부엌문은 양쪽으로 활짝 열리도록 되어 있었다. 문을 열고 들어서면 오른쪽 구석에는 숨바꼭질할 때 들어가 몸을 숨길 수 있는 크기의 물항아리가 자리를 잡고 있었다. 새벽이면 엄마가 동네 샘에서 양동이로 물을 길어다가 채워 놓곤 하였다. 그 물로 밥을 하고 국을 끓였다. 그 큰 물항아리와 무쇠솥 사이에는 약간의 공간이 있었다. 세 개의 무쇠솥이 걸려 있는 부뚜막은 기역 자 모양이었다. 가장 큰 무쇠솥이 바로 물항아리 옆에 걸려 있었다. 큰 무쇠솥은 주로 밥을 지을 때 쓰였다. 그 옆에 국을 끓이는 조금 작은 솥이 걸려 있었고, 그 작은 무쇠솥 왼쪽에는 쇠여물을 삶던 또 다른 무쇠솥이 걸려 있었다. 쇠여물을 삶던 무쇠솥 옆에는 작은 방으로 들어가는 토방이 있고, 그 토방 왼쪽에는 이층으로 된 살강(찬장)이 있었다. 살강에는 가족 숫자대로 가장 기본적인 밥그릇, 국그릇, 반찬그릇이 피라미드식으로 쌓여 있고, 숟가락 젓가락은 커다란 대접에 무질서하게 담겨 있었다. 산에서 긁어온 나무며 장작더미가 살강 옆 벽을 따라 천장에 거의 닿을 정도로 빼곡하게 쌓여 있었다. 부엌 바닥은 신발에 묻어온 흙 때문인지 조개껍질이 엎어진 듯 옴팍옴팍 울퉁불퉁했다.

오빠는 밥을 짓는 무쇠솥과 물항아리 사이의 빈 공간을 무대로 삼았다. 나는 오빠의 지시에 따라 부엌 바닥에 깔린 동그란 멍석에 아이들을 쪼르르 앉게 했다. 물론 나의 자리는 맨 중앙이었다. 오빠는 목소리를 가다듬더니 조금 후면 자기 입에서 불이 뿜어져 나올 것이라고 말했다. 그 말에 동네 아이들은 술렁거렸다. 오빠는 군중을 다스리는 제스처로 두 팔을 뻗어 모두 잠잠하라는 신호를 보냈다. 옆에서 호기심과 긴장감으로 침이 꼴깍 넘어가는 소리가 들렸다. 부뚜막에 선 오빠는 기고만장한 표정으로 입에서 불이 뿜어져 나올 때 함성과 함께 어떻게 박수를 쳐야 하는지 시범을 보였다. 아이들은 묘기를 보고 싶은 열망에 표정까지 따라 지으며 시키는 대로 했다. 내 등에 업힌 동생은 포대기에서 몸이 반쯤 삐져나온 채 잠이 들어 있었다. 드디어 오빠는 불을 뿜어낼 준비에 들어갔다.

오빠의 오른손에는 손바닥에 폭 들어가는 작은 병이 들려 있었다. 아이들의 시선이 정체를 알 수 없는 그 병에 집중되었다. 오빠는 어렵지 않게 병마개를 땄다. 이미 한번 열어보았던 듯했다. 액체가 들어 있었다. 저것으로 어떻게 불을 만들어낼 수 있는지 도무지 상상이 가지 않았다.

오빠는 엄지와 검지만으로 병을 붙들고 팔을 앞으로 쭉 뻗어 보였다. 아이들의 눈빛이 다시 그 병으로 쏠렸다. 오빠는 신성한 의식을 치르듯 그 병에 든 액체를 천천히 입 속에 털어 넣었다. 조무래기 관중석에서는 숨소리도 들리지 않았다. 입에 액체를 한 모금 가득 물고 다른 손에 들고 있던 성냥을 치익 그었다. 우린 주먹을 꽉 쥐었다. 손에 땀이 쥐어졌다. 오빠는 고개를 뒤로 한껏 제친 채 입에 머금고 있던 액체를 공중을 향해 뿜어냄과 동시에 들고 있던 성냥불을 액체를 향해 던졌다. 섬광이 번쩍 했다. 아무것도 보이지 않았다. 오빠 입에서 나온 불똥인지 천장에서 떨어진 불똥인지 분간할 새도 없이 아~아~악~ 하는 비명 소리가 들렸다. 부엌은 일순간에 아수라장이 되고 말았다. 아이들은 후두둑 떨어지는 불똥에 놀라 비명을 지르며 밖으로 뛰쳐나갔다. 나도 아이들과 함께 뛰쳐나갔다. 등에 업혀 있던 동생도 놀라 자지러지듯 울어댔다. 부엌에 남아 있는 사람은 오직 오빠뿐이었다.

예상치 못하게 묘기가 빗나가버린 것이다. 불꽃이 튀어 쌓여 있던 땔감으로 옮겨 붙자 오빠는 우리가 깔고 앉았던 멍석을 들어 불길을 제압하기 시작했다. 부엌에서 올라오는 시꺼먼 연기를 보고 나는 두려움에 울음보를 터뜨렸다.

얼마나 시간이 흘렀을까. 시커먼 연기 속에서 오빠가 악을 쓰며 뛰쳐나왔다. 부엌 옆에 물이 가득 담겨져 있는 빨간 고무통에 얼굴을 처박고 씻어댔다. 괴로움으로 울부짖는 오빠의 얼굴을 보고 난 털썩 주저앉고 말았다. 등에 동생이 업혀 있다는 사실도 잊은 채. 오빠의 얼굴이 잘 익은 토마토처럼 발개진 것뿐만이 아니라 껍질이 얼룩덜룩 벗겨졌기 때문이었다. 오빠는 쓰라린 얼굴을 감싸 쥔 채 목놓아 울었다. 오빠의 울음소리를 듣고 달려온 이웃 어른들은 단 한 명도 없었다. 모두 일터에 나갔기 때문이다.

오빠는 울면서 나에게 말했다. 논에서 일하고 계시는 아버지에게 빨리 알리라는 것이었다. 그 이유가 생뚱맞고 엉뚱했다. 소가 뒷발로 오빠 얼굴을 차서 얼굴이 뭉개졌다고 말하라는 것 아닌가! 나는 그런 엉뚱한 발상에 이의를 제기할 생각도 하지 못하고 무조건 논을 향해 뛰기 시작했다. 등에 업힌 동생이 자꾸 포대기 밑으로 미끄러지는 것도 아랑곳하지 않았다. 헐떡거리는 검정 타이어 고무신은 아예 벗어서 손에 쥐고 달렸다. 여름 햇볕이 함께 할딱거렸다. 오빠가 시키는 대로 아버지에게 전하자 아버지의 손에 들려 있던 삽이 허공에서 허우적거리다가 논고랑에 푹 떨어졌다.

그날 오빠의 묘기는 지난 장날 회충약을 팔던 약장사가 입에 석유를 머금었다가 뿜어내면서 성냥불을 던져 불꽃을 만들어 내는 것을 본 것이었다. 뿜어내는 석유에 불꽃이 화려하게 붙은 것을 보고 흉내를 내기 위해 석유 대신 집에 있는 휘발유를 사용하다가 변을 당한 것이다.

그날 저녁, 온 동네 사람들이 웅성거리며 우리집 마당으로 모여들었다. 낮에 오빠의 묘기를 구경하기 위해 왔던 아이들은 대문 밖 저만치에서 서성거리고만 있었다. 그 누구도 낮에 보았던 사실을 어른들에게 말하려 들지 않았다. 동네 사람들은 외양간과 불에 타다가 만 시커먼 부엌을 번갈아 보면서 두런거리며 혀를 끌끌 찼다. 외양간에 있는 소는 사람들의 그런 모습을 물끄러미 바라보며 여느 때와 마찬가지로 끊임없이 되새김질만 하고 있었다.

핀의 예리함

〰〰 "아이고~ 인자 그만 좀 울어야. 하루종일 귀가 아파서 죽겠네."

엄마는 장사를 하다 말고 미닫이 방문을 열어젖히며 나를 향해 짜증 반 호통 반으로 야단을 쳤다. 엄마의 파마머리는 평상시보다도 더욱 부스스했고 이마에 그어진 서너 개의 주름은 더 깊어 보였다. 나에게 엄마는 나이를 훌쩍 먹은 사람이었지만, 타인에게 엄마는 아직 늙은 나이가 아니었다. 겨우 사십대 초중반에 발을 들여놓은 상태였으니까. 그날 나의 울음은 엄마의 이마에 굵은 주름 하나를 더 긋고 있었다.

그날은 아주 특별하고 중요하고 들뜬 날이어야 했다. 들뜨고 특별하고 중요해야 할 날이 나에게는 슬프고 비참하고 억울한 날이 되어버렸다. 중학교 진학을 위해 뺑뺑이를 돌리는 날이었다. 추호의 의심도 없이 중학교에 진학을 하리라 기대하면서

가고 싶은 학교를 꼽아보기도 했다. 그 귀한 날을 기다리고 있던 나에게 날벼락이 떨어진 것은 뺑뺑이를 돌리는 날 아침이었다. 지엄하신 아버지의 한마디가 나의 인생의 물줄기를 확 틀어버렸기 때문이다.

"나는 그 많은 등록금 다 못 댄다. 그랑께 니가 포기를 해야 쓰것다. 느그 오빠는 내년에 대학도 가야 할 것이고, 또 니 동생들을 봐라. 저것들도 갈쳐야 할 것 아니냐. 지금은 힘에 부쳐서 못 항께 그리 알아라."

아버지의 한마디는 나를 컴컴한 동굴 속으로 쑥 밀어 넣어버렸다. 눈물은 충격이 지난 후에 나타나는 후풍이다. 충격이 나를 가했을 때 나의 반응은 빠른 호흡이었다. '너는 이제 중학생이 못 되는 거야. 친구들은 반짝거리는 스마트지 교복을 입고 학교에 가는데, 너는 동생을 업고 다녀야 하는 거야.' 그건 어린 나에게 사형선고나 다름없었다.

나에게는 아버지의 무거운 짐도 보이지 않았다. 무조건 진학을 해야 한다는 열망이 전부였다. 아버지의 등 뒤로 방문이 탁 닫히는 소리에 가슴이 철렁 내려앉았다. 그때부터 눈물이 삐져나오기 시작했다. 뺑뺑이를 돌리기 위해 특정한 학교에 모두 모여야 한다는 시간이 촉박해올수록 울음소리의 강도도 높아져 갔다. 방에서 두 다리를 쭉 뻗고 울고 있는 나를 달래기 위해 엄마는 몇 번을 들락거렸다. 맛있는 찐빵도 사다 넣어주고 튀김도 사다 안겨주었지만 허사였다. 이것도 저것도 내 울음을 그치게 할 수 없자 엄마는 야단을 치기 시작했다. 야단도 통하지 않자, 속이 상한 엄마도 훌쩍거리기 시작했다. 그런 모습을 종일 지켜보던 옆집 아주머니가 엄마에게 물었다.

"쟈는 왜 저라고 종일 운다요?"

엄마는 눈물을 훔치며 중학교 때문이라고 대답했다. 옆집 아주머니는 내가 울고 있는 방을 들여다보면서 엄마를 향해 말했다.

"저라고 학교를 가고 싶어하는디 보내주소. 우리 아들이 댕기는 학교가 있응께 거디다가 쟈를 보내면 되겠네."

시골에서 갓 올라온 엄마는 정보라고는 좁쌀만큼도 없었다. 엄마에게 던져준 옆집 아주머니의 정보. 그 정보로 인해 그날 나의 울음은 끝이 나고 스마트지 교복을 입게 되었다. 언니는 내 교복의 흰 칼라와 손수건을 다리미로 각이 지도록 다려주었다. 낮에는 일을 하는 엄마를 위해 동생을 보고, 해가 기울기 시작하면 업고 있던 동생을 내려놓고 교복으로 갈아입었다.

밤하늘별이 차지하고 있는 면적보다도 더 좁은 귀퉁이에서 배우는 영어 알파벳은 신기하고 재미있었다. 사전에서 단어를 찾는 방법을 터득해가면서 대문자, 소문자 그리고 필기체를 익혀나갔다. 불빛이 흐려도 불평하거나 좌절하거나 우울해하지 않았다. 그 시간에 그곳에 와 있다는 것만으로도 희망이고 축복이었으니까. 나와 친구들에게 봄날이었다. 따사로운 햇볕에 고개가 절로 떨어지는 평온함과 사랑이 있던 곳. 그곳에는 거인도 있었다. 사재를 털어 어두운 골목에 등불을 밝히고자 했던 분. 가끔 그림자처럼 나타나 창문 너머로 배우는 눈동자들을 바라보다가 가기를 반복하는.

그렇게 2년을 보냈다. 하지만 그게 상한선이었다. 중학교 2년 수료로 끝날 것인가, 아니면 정규 학교 3학년으로 편입을 할 것인가 결정을 해야 했다. 나는 단 일 초도 생각해보지 않았다. 무조건 편입을 해야 한다는 생각이었다. 아버지도 나의 도전적인 시선으로부터 돌아앉을 수가 없게 되었다. 하루종일 울어대던 그 울음소리를 다시 듣고 싶지 않았던 엄마는 서둘러 편입을 시키도록 종용했다.

십여 명 정도가 편입 대열에 섰다. 정규 학교에 가서 새로운 과목을 접하게 된다는 사실에 치아가 활짝 열렸다. 2년 동안 우리가 접했던 과목은 필수 과목이 전부였다. 예능 과목은 없었다. 그래서인지 지금도 난 예능에는 젬병이다. 새롭게 다니게 될 학교 역시 밤하늘 아래 있었다. 해와 함께 공부를 하던 학생들이 쏟아져 나오면, 달과 함께 공부를 하게 될 학생들이 등교

하는 교문 입구는 인산인해를 이루었다. 그들과 함께 교문을 들어설 수 있다는 자체만으로도 설렘이었다. 새로 배정된 교실에 들어서기 전까지는 그랬다.

교무실에서 처음 대면하게 된 담임은 몸집이 퉁퉁하고 눈두덩이 불룩했다. 친절하다거나 다정다감한 표정은 아니었다. 한손에 출석부를 들고 앞장서는 담임을 따라 이층으로 올라갔다. 교실 문이 열리자 수십 개의 눈동자가 우리의 모습을 쭈우욱 훑었다. 우리는 어색한 표정으로 서 있었다. 담임은 오늘부터 함께 공부하게 될 친구들이라고 소개를 하고 지정된 자리에 가서 앉도록 하였다. 반 아이들과는 완전히 분리된 자리였다. 소외당한 아이들처럼 우리는 동떨어진 좌석에 가 앉았다. 학교 건물이 동네와 바짝 붙어 있어서 누군가를 야단치는 소리 혹은 웃음소리가 옆집에서 나는 것처럼 들려왔다.

담임은 출석을 부르기 시작했다. 이름이 아닌 번호를 부르고 있었다. "1번, 2번, 3번…" "네, 예, 네"가 이어지더니 출석 점검이 끝났다. 당연히 우리의 번호도 불릴 거라 여겼던 기대와는 달리 바로 이어지지 않았다. 담임은 약간 뜸을 들이더니 "너희들은…" 하고 말문을 열었다. 우리 번호는 원래 반 학생들의 마지막 숫자에서 뚝 떨어진 지점에서 다시 시작되었다. 일순간 나의 의식이 고개를 바짝 치켜들었다. '이게 뭐지?' 세상이 나를 향해 처음으로 귀싸대기를 후려갈기던 순간이었다.

그날 이후, 담임이 "니네들은…."이라고 분리 지어 말을 할 때마다 예리한 핀이 나의 의식을 콕콕 찔러댔다. 뾰족한 핀에 찔릴 때마다 아직 어리고 여린 난 몸을 움찔거렸다.

클레오파트라가 살고 있었다

〰〰 그곳에 클레오파트라가 살고 있었다.

딸이 쪼르륵 여섯이나 되는 집. 딸 풍년이라 귀한 줄 몰라서였는지 아버지는 우릴 미장원 같은 델 데리고 가는 법이 없었다. 우리가 살던 동네에는 미장원이나 이발소가 없기도 했다. 그렇다고 미용사나 이발사가 없었던 건 아니다. 두어 달에 한 번쯤 보따리장수 미용사와 이발사가 동네를 찾아왔었다. 딸들을 공주처럼 키우고 싶은 마음이나 의지가 있었더라면, 우리도 전문가의 서비스를 받을 수 있었을 것이다. 그러나 애석하게도 우린 그런 호사를 누리지 못했다.

미용사나 이발사가 찾아와 온 동네 사람들의 머리를 벌초하는 날이면, 우리도 웃통을 벗고 양지 바른 닭장 앞에 일렬로 쪼르르 앉았다. 머리를 깎는 날엔 놀러도 못 나가고 닭장에 갇힌

닭 신세가 되었다. 차례가 아직 멀었음에도 웃통을 벗고 기다려야 했던 이유는, 행여 차례가 멀었다고 동네를 싸돌아다니다가 머리 깎는 걸 잊어버릴까 봐서 내린 아버지의 엄명이었다. 한 놈이 사라지면 다른 놈이 찾아 나서고, 그놈마저도 돌아오지 않으면 머리를 깎다 말고 아버지가 찾아 나서야 할 판이었으니, 보통 골치 아픈 일이 아니었다.

바리캉 기계의 둔탁한 날이 머리카락을 뜯어먹는 바람에 두피가 욱신거려도 그까짓 것은 참을 수 있었다. 문제는 도너츠 커터기로 꾹꾹 눌러 찍어 놓은 것 같은 우리 딸들의 획일적인 헤어스타일이 문제였다. 고만고만한 나이에 똑같은 머리 모양을 하고 있으니, 누가 누구인지 알쏭달쏭 헷갈리기는 손님이나 가족이나 매한가지였다. 특히 뒷모습을 보고 식별한다는 건 대단한 추리력을 필요로 했다. 체형도 비슷하고 걷는 폼도 유사한 것은 물론이요, 대물림으로 입고 다니는 옷과 신발 또한 헷갈리게 한 이유이기도 했다. 그런 딸들을 향한 엄마의 행동은 우리를 더욱 헷갈리게 만들었다. 때론 엄마조차도 우리 얼굴을 보고도 엉뚱한 이름을 불러댔으니 말이다. 나는 내 이름이 아니라 멀뚱히 서 있다가 대답하지 않는다고 엄마로부터 날벼락을 맞기도 했다.

그런저런 일련의 사건들 때문에 난 차별화되고 싶었다. 공주머리를 원했다. 약간 곱실거리는 긴 머리를 틀어 올리는 상상도 했다. 딱 한 번만이라도 머리를 자르지 않으면 긴 머리를 할수 있을 것 같았다. 곱슬머리를 가지고 싶어 쇠부지깽이를 달궈서 말다가 그나마 짧은 앞머리가 뭉텅 타서 잘려나간 아찔한 순간도 있었다. 더욱 짧아져버린 앞머리가 자랄 때까지 견뎌야했던 고통의 시간! 어떻게 하면 머리 깎는 날을 피해볼까 잔머리를 굴려보았지만 허사였다.

아버지는 오직 클레오파트라 머리밖에 깎을 줄 몰랐다.

클레오파트라와 나. 우리의 헤어스타일은 길이에서 조금, 아주 조금 차이는 있었으나 모두 닮아 있었다. 우선 머리색이 까맣고 헤어스타일이 사각이었다. 앞머리는 눈썹 조금 위에서 일자로 정확하게 잘려 양 쪽 귀 직전에서 멈췄다. 양쪽 귀 시작점에서 밑으로 귓불까지 직각으로 내려온 머리. 뒷머리는 산허리를 돌아가는 도로처럼 뒤통수를 따라 잘려나갔다. 아버지는 빨랫비누로 만든 거품을 나의 목 뒷덜미에 척척 바른 후 식칼에 버금가는 면도날로 슥슥 밀어냈다.

머리를 자르고 나면 한 가지 의식이 기다리고 있었다. 이발사 면허증 없이도 이토록 수려한 기술을 갈고 닦은 아버지 스스로에 대한 자부심이었는지, 손바닥만 한 거울을 내 손에 쥐어주고 아버지는 큼지막한 거울을 내 뒤통수에 댔다. 나는 거울 속 나의 뒤통수를 바라보기보다는 앞모습을 바라보았다. 거울 속 내 모습, 눈은 찌그러지고 입은 퉁퉁 불어 있었다.

헤어스타일에 대한 악몽을 깡그리 지우기 위해 고등학교 졸업식 날 불렀던 "빛~나는 졸~업장~"이라는 노래 소리의 여운이 채 가시기도 전에 나는 머리를 뽀글뽀글 볶아버렸다. 그리고 클레오파트라 머리밖에 자를 줄 모르는 아버지 곁을 철새처럼 떠났다. 잘난 척 결혼도 하고 자식도 낳았다.

그러던 어느 날이었다. 앨범 속 두 딸의 모습을 보며 나는 소스라치게 놀라고 말았다. 그건 내가 바리캉 기계로 손수 깎은 어린 두 딸의 헤어스타일이었다!

아! 아! 그곳에 클레오파트라가 살고 있었다!

엄마의 고백

〰〰 하늘이 별들을 잉태한 후 안식을 취하고 있는 시간. 부엌에서는 엄마의 손길로 인해 그릇들이 잠에서 깨어나고, 구들장 속에서 밤새 몸을 활활 불사르던 연탄 화덕을 쇠갈고리로 드르륵 꺼내는 소리에 나는 잠에서 깨어났다.

엄마가 부엌의 식기들을 가만가만 다루고 있을 때 나는 방에서 앉은뱅이책상에 널브러진 책과 노트를 챙기느라 바스락거렸다. 아침상을 봐 둔 엄마는 희뿌연 골목길을 따라 생계의 터전으로 향했고, 나는 어둠이 교복 흰 칼라에 반사되어 비추는 빛을 밟으며 학교로 향했다. 이렇듯 엄마와 나의 일과는 시계의 분침과 초침처럼 움직였다. 그렇게 나는 엄마의 모든 걸 알고 있다고 생각했는데, 내 나이 열일곱 살이 될 때까지 나는 엄마를 모르고 있었다.

엄마의 인생은 크게 두 획으로 그어진다. 시골생활과 도시생활. 시골에 살던 우리 가족은 제법 풍성하고 느긋하고 여유로웠다. 비가 오는 날이면 엄마는 부침을 지지고, 아버지는 아랫목에서 뭔가를 읽고 계셨다. 나와 언니는 처마끝에서 떨어지는 물방울을 손으로 받으며 누가 더 많은 물을 받아내는지에 대한 놀이에 빠져 시간 가는 줄 몰랐다.

여름밤이면 엄마는 커다란 가마솥에 팥죽을 끓여 마당에 멍석을 깔고 이웃까지 불러 함께 먹었다. 팥죽을 먹고 나면 후식으로 김 폴폴 올라오는 찐빵이 대나무 소쿠리에 가득 놓여 있었다. 나는 찐빵을 한입 깨어 물고 뜨거운 김을 뿜어내느라 별들이 들어찬 하늘을 향해 호호거렸다. 엄마가 온종일 논으로 밭으로 나가 일을 하고 들어와 짓는 밥도 후식도 따뜻하고 풍족했다. 풍성한 음식만큼이나 엄마의 마음 또한 여유로웠다. 아버지의 칼칼한 성격에 맞서는 법도 없었다. 힘든 일을 하면서도 노래를 흥얼거렸고, 언짢은 일이 있을 때에도 노래가 떠나지 않았다. 즐거워서 부르는 노래는 톤이 높은 반면, 기분이 좋지 않아 나오는 곡조는 한숨이 새어 나오듯 가늘고 길었다.

할아버지와 할머니가 계시지 않아 가사에 자잘한 도움을 받지 못했던 엄마의 시골생활은 바쁘기는 했지만 각박하지는 않았던 것 같다. 꽤 넉넉한 마음으로 살아가고 있던 엄마에게 급물살이 밀려들었다. 아이들 교육을 위해서라는 명목으로 갑자기 아버지가 도시 행을 결심했기 때문이다. 요즘처럼 이삿짐센터가 있는 것도 아니어서 우리 가족은 삼륜용달차에 몸을 실었다. 엄마는 태어난 지 겨우 한 달 남짓 된 막내를 품에 안고 쉼없이 눈물을 흘렸다. 엄마의 눈물을 동네 앞바다의 갯내음이 바람의 손을 빌려 훔쳐주었다. 옹색한 시골 살림을 실은 용달차가 동네를 벗어나자 저 멀리 엄마가 태어나 자란 동네가 보였다. 엄마는 그 산자락에 모여 있는 집들 하나하나에 이별을 고하지 않았을까.

도시는 그야말로 치열한 생존경쟁의 현장이었다. 달빛처럼 부드러운 엄마의 얼굴에 도시의 거친 바람이 할퀸 자국이 선명하게 패어가고 있었다. 칼칼한 아버지의 성격에 더 이상 고분고분하지도 않았다. 여름밤에도 엄마는 팥죽을 끓이지 않았다. 후식으로 찐빵을 담아 놓았던 채반에는 엄마가 파는 채소로 가득 채워졌다. 나는 젖먹이 동생을 업고 시장통을 빙빙 돌다가 가마솥에서 김이 모락모락 올라오는 찐빵집 앞에서 침을 꼴깍꼴깍 삼키기만 했다. 그러던 어느 날 찐빵의 유혹을 견뎌내지 못한 나는 등에 업혀 있던 동생의 허벅지를 마구 꼬집었다. 동생은 자지러지게 울어댔다. 배가 고파 울어대는 걸로 착각한 엄마는 내 손에 동전 몇 개를 쥐어주었다. 나는 그 길로 찐빵 집으로 달려가 김이 폴폴 올라오는 찐빵을 사서 한 입 베어 물고 하늘에 대고 호호거렸다. 그러나 엄마의 얼굴처럼 그 하늘도 칙칙하니 지쳐 있었다. 목이 콱 메었다. 한입 베어 문 찐빵을 삼키지도 못한 채 하늘을 올려다보고 있었다. 고향 앞바다의 포말이 바람에 밀려온 것이었을까. 입에 물고 있던 찐빵에 짭짤한 맛이 배어들었다. 내가 맛보고 싶었던 건 찐빵이 아니라 찐빵을 쪄서 우리 앞에 내놓던 엄마의 여유로움이었던 것 같다.

도시생활에 적응하기 위해 우리 가족은 지독한 몸살을 앓아야만 했다. 시간은 그 몸살기를 이겨내는 데 한몫을 해주었다. 드디어 몸살을 툴툴 털고 일어난 우리는 시장에서 뚝 떨어진 곳에 그럴듯한 집도 장만했다. 대문을 들어서면 무화과나무도 있고, 마당 귀퉁이에는 장독대도 있었다. 엄마는 담벼락을 따라 화단을 일구어 꽃과 화초를 심고 장독대에 크고 작은 항아리를 즐비하게 들여놓았다. 엄마는 다시 시골에서처럼 된장과 고추장을 담그고, 살아서 펄펄 뛰는 멸치를 사다가 젓갈 담그기에도 여념이 없었다.

엄마 얼굴에 패인 거친 자국에 다시 여유로움이 차오르기 시작했다. 엄마는 우리가 떡이 먹고 싶다고 하면 쌀가마에서 쌀을 듬뿍 퍼서 방앗간으로 향했다. 잡채가 먹고 싶다고 하면 8

남매가 올챙이배가 되도록 만들어주었다. 과일도 박스로 사다가 우리 앞에 풀어 놓았다. 이제 우리 가족은 여름이면 멍석 대신에 평상에 앉아 팥손칼국수를 먹기도 했다. 도시에서 만들어나간 우리 가족의 풍경은 남향집 마루에 드는 따스한 햇볕과도 같았다.

그때까지 엄마의 모습은 시골과 도시에서의 두 모습뿐이었다. 시골에서의 엄마 모습이 초가지붕을 타고 오르다 피어난 순박한 박꽃과 같았다면, 도시에서의 엄마 모습은 도로변에 갈라진 틈을 비집고 올라오는 이름 모를 잡초의 끈질긴 생명력과 같았다. 순박한 박꽃이 여유로움을 안겨주었다면, 시멘트를 헤집고 올라온 잡초는 용기를 보여주었다. 그렇게 순박한 박꽃과 끈질긴 잡초의 모습으로 서 있던 엄마가 또 다른 모습으로 나에게 다가섰다.

내가 열일곱 살이 되던 해 어느 날, 엄마는 사춘기 소녀처럼 발그레하고 들뜬 모습으로 일터에서 돌아왔다. 그날 저녁 부엌에서는 엄마의 경쾌한 콧노래가 흘러나왔다. 저녁상이 치워졌다. 설거지도 끝났다. 제각기 여유로움에 젖어 있었다. 그때 나의 방문이 조심스럽게 열렸다. 방문을 들어서는 엄마는 들뜬 마음에 달빛까지 불러들였다. 완전히 닫혀 있지 않은 문틈으로 달빛이 엄마의 모습을 훔쳐보고 있었다. 내가 숙제를 하느라고 펼쳐 놓은 앉은뱅이책상 앞에 마주앉은 엄마는 흥분된 표정과는 달리 소곤거렸다.

"오늘 처녀 적에 날 좋아하던 사람을 만났어."

"…?"

나는 너무 뜻밖의 사실에 선뜻 대답을 찾을 수가 없었다. 그러니까 엄마는 첫사랑을 시장바닥에 쪼그리고 앉아 장사를 하다가 만났다는 이야기다.

"생활이 웬만큼 살 만한지 총각 때보다도 얼굴이 훨씬 좋아 보이고 차림새도 말끔하더라."

엄마는 햇볕에 그을린 손등의 주름을 애써 펴보려는 듯 문질렀다. 그 손짓에는 그 남자 앞에서 좀 더 우아해 보이지 못했던 속상함이 묻어 있었다.

그 남자는 엄마와 같은 동네에서 살았다고 했다. 키도 크고 인물도 좋아 처녀들에게 인기가 무척 좋았더란다. 그 총각은 얼굴이 옥같이 맑고 미소가 아름다운 엄마를 사랑했었다고. 그가 엄마를 좋아한다는 소문에 대노하신 할아버지. 그 총각의 집이 가난하다는 이유도 있었지만 가문이 별로 좋지 않다는 이유가 더욱 컸다고 했다. 할아버지의 반대에도 그는 포기하지 않고 엄마와 결혼을 하겠다고 버텼다는 것이다. 할아버지는 서둘러 엄마를 혼인시켜 버렸다. 결혼을 하고 보니, 신랑의 성격은 불같이 급했다. 엄마는 평생 물이 되어 사시며 마음 한켠에는 아쉬움을 안고 사셨던 것 같다. '만약에 그 남자와 결혼을 했더라면….'

그 남자는 첫사랑이 자신이 살고 있는 도시로 이사 와서 살고 있다는 소문을 듣고 찾아 나섰던 것이다. 남자는 물건을 팔고 있는 엄마 앞에 우뚝 섰다. 엄마가 한눈에 그를 알아보지 못하고 손님으로 착각하자 그가 먼저 인사를 건넸다. 그동안 잘 살았느냐고, 참 많이 궁금했었다고.

그 남자에 대해 말을 하는 동안 내내 나는 엄마의 가슴 두근거리는 소리를 들을 수 있었다. 그 떨림은 세파에 휘둘리고 지친 어머니의 가슴이 아니고, 사랑 받고 있음을 확인한 한 여자의 벅찬 울림이었다.

우리가 삼륜용달차를 타고 고향을 떠나오던 날, 엄마가 흘렸던 그 눈물에는 혹시 그 남자에 대한 이별도 포함되어 있지 않았을까, 하는 생각이 언뜻 들었다. 시련의 폭풍우를 견뎌내야만 하는 어머니라는 나무를 바라보면서, 내 나이 열일곱 살이 되기 전까지 그 나무도 한때는 여린 싹을 틔우고 꽃을 피웠다는 사실을 까맣게 잊고 살았었다. 그날 이후, 엄마는 나에게 한 여자의 모습으로 다가왔다. 태어나서 누군가로부터 사랑을 듬뿍 받은 여자의 모습은 더욱 아름답고 귀해 보였다.

새로움에 대한 유혹

〰〰〰 "워메! 이것이 어치께 된 일이다냐! 헨(현)아~ ~ ~"

안방에서 장롱을 뒤지는 엄마의 다급한 손길에 이어 작은오빠를 부르는 절박한 외침이 집안 곳곳을 들쑤셨다. 마루에서 뒹굴뒹굴 나른한 오후를 만끽하고 있던 나와 언니는 동시에 안방을 향해 눈길을 던지며 생각했다.

'아! 또 터졌구나!'

엄마의 외침 속에 묻은 좌절이 우리 곁을 휙 스치고 지났다. 거추장스러운 혹처럼 등에 늘 붙어 있던 젖먹이 동생은 우리 곁에서 숨을 색색 몰아쉬며 잠에 골아떨어져 있다가 울음을 터뜨렸다. 나는 엄마보다도 더 절박한 심정으로 동생을 다독거리며 다시 잠을 재우려 노력했지만 허사였다. 다시 동생을 들쳐 업으며 작은오빠에 대한 원망이 쏟아졌다.

'씨잉, 또 뭔 일을 저질렀으까잉. 어째 한동안 조용하드라.'

그랬다. 마치 날씨가 구물거려 곧 비가 쏟아질 것 같은데 언제 쏟아질지 몰라 하늘만 자꾸 쳐다보게 되는 마음처럼 집이 조용하면 왠지 불안했다.

"엡(엽)아! 느그 작은오빠 어딨냐~~?!"

안방 문을 벌컥 열고 나오면서 엄마는 언니에게 다그치듯 물었다. 엄마는 집안에 일이 터지거나 살림에 대한 이야기를 할 때는 언제나 언니를 찾았다. 나와 언니는 겨우 한 살 터울이지만 언니는 나이답지 않게 책임감이 강하고 어른스러운 반면, 나는 가사에는 젬병이었다. 심부름을 시켜도 똑 부러지게 하는 법이 없었다. 하지만 나도 한 가지 잘하는 게 있긴 했다. 바로 애기 보는 일이었다. 젖먹이 동생을 보는 일에는 지칠 줄 몰랐다. 여름이면 등에 땀띠가 열꽃처럼 피어도 불평 한마디 없이 애기를 업고 다녔다. 엄마는 일찌감치 두 딸의 서로 다른 특성을 알아차리고 역할분담을 선언했다. 언니는 살림을 챙기고, 나는 애기를 책임지라는. 언니와 나는 그 역할분담을 천직처럼 받아들였다. 그러기에 이 긴급하고 절박해 보이는 상황에서 엄마가 언니에게 묻는 것은 너무나 당연한 일이었다.

"잉. 쇠고기 한 근 뜨러(사러) 장에 간다고 하든디요."

언니는 뜨악한 표정으로 대답했다. 언니 대답에 엄마는 마루에 털썩 주저 앉아버렸다. 마치 세상의 종말이 대문을 들어서고 있는 걸 보고 있는 양, 넋 나가고, 어처구니없고, 허망하고, 불안한 눈빛이었다. 엄마의 얼굴이 먹구름으로 꽉 낀 하늘처럼 변해갔다. 엄마는 입이 타는지 언니에게 물 한 대접을 달라고 했다. 언니는 손잡이가 길고 물살에 시달려 생기가 다 빠져 핑크색이 되어버린 빨간색 고무대롱바가지에 물을 떠왔다. 엄마는 몇 모금 벌컥벌컥 들이켜고 나더니 온몸 세포 하나하나에 박힌 기운을 빌린 듯한 목소리로 말했다.

"소 판 돈이 없어져 부렀다."

언니와 나는 서로의 눈을 동시에 쳐다보며 눈빛으로 말했다. 소 판 돈이라면…? 그 꼬리 빠진 소!

아버지의 꿈과 우리의 미래를 걸머지고 있었던 소. 다른 사람의 실수도 아니고 작은오빠 본인의 잘못으로 꼬리가 없어져 도살장에 헐값으로 넘겨야만 했던 소. 그 돈을 가지고 장터로 토껴버렸다? 쇠고기 한 근 사러 간다는 아주 그럴싸한 명분을 던져놓고서. 겨우 열 살 남짓한 아이가 쇠고기 한 근을 사러 십 리가 넘는 면소재지를 향해 간 것이다! 쇠고기를 사온다는 건 누가 들어도 핑계일 뿐이었고, 엄밀히 말하자면 그 돈을 가지고 줄행랑을 친 것이다. 소 판 돈다발이 꽤 두툼하다는 걸 나는 알고 있었다. 소를 떠나보낸 후 아버지는 참담한 심정으로 마루 끝에 걸터앉아 담배 한 개비를 피워 물면서 엄마에게 단단히 당부했다.

"그 돈 야무지게 간수하소."

그런데 그 돈을 들고 사라졌다? 이건 보통 일이 아니었다. 엄마는 물을 한 바가지를 들이켰음에도 목이 계속 타는지 자꾸 마른 침을 삼켰다. 언니와 난 그저 엄마를 바라보고만 있었다. 잠시 잃었던 이성을 되찾은 엄마는 언니에게 얼른 가서 한 동네에 살고 있는 큰엄마와 큰집오빠를 불러오게 했다. 큰엄마와 큰집오빠가 혼비백산 달려왔다. 어찌나 다급하게 대문을 들어서는지 마당이 비틀거렸다.

"아니, 헨이가 소 판 돈을 몽땅 가지고 없어져 부렀다고? 허어~ 고 맹랑한 녀석 좀 보소. 그 돈이 어뜬 돈인디 지가 그걸 가지고 가부러. 자네는 그라고 앉아 있지 말고 얼릉 일어나소. 빨리 쫓아가야 할 거 아닌가. 장엘 갔다고 항께 빨리 가보세. 장터로 가는 길은 두 길 뿐인께, 두 사람 씩 패를 갈라서 부지런히 쫓아가믄 잡을 수도 있을지 모릉께. 싸게 일어나란 말이네. 싸게. 느그들도 멍하니 서 있지 말고 얼릉 느그 아부지한테 가서 이 사실을 알려라잉. 지금 한가롭게 논일하고 있을 때가 아니다."

큰엄마는 대문을 들어서면서 그동안 연습해온 대사를 토씨 하나 빠뜨리지 않고 외우듯 엄마를 재촉하고 들었다. 키가 장대처럼 큰 큰엄마와 큰집오빠가 겅중겅중 뛰어가면 곧 작은오빠를 잡아올 수 있을 것 같은 희망이 보이기도 했다. 그러나 그런 기대와는 달리 밤이 깊어도 어른들은 돌아오지 않았다. 나는 마루 끝에 걸터앉아 둥근 달을 올려다보며 작은오빠를 찾았을 때와 찾지 못했을 때의 상황을 그려보았다. 만약 찾지 못하면 엄마는 아버지로부터 날벼락을 맞을 터다. 돈 간수에 대한 책임 추궁을 당할 테니까. 그런데 작은오빠를 운 좋게 잡았다? 돈을 아직 가지고 있을 때와 없을 때의 차이는 있겠지만, 어찌 됐든 작은오빠는 몽둥이 타작을 면할 길은 없어 보였다.

어떤 상황이 되더라도 집안이 결코 조용할 것 같지는 않았다. 그때였다. 갑자기 동네가 시끌벅적해졌다. 그 시끌벅적한 소음과 웅성거림 속에서 헐떡거리는 숨소리가 공기를 가르며 다가왔다. 작은오빠가 아버지의 우악스러운 손끝에 대롱거린 채 마당으로 끌려 들어섰다. 마당은 삽시간에 동네 사람들로 가득 메워졌다. 아버지 뒤로 엄마, 큰엄마 그리고 큰집오빠가 기진맥진한 모습으로 들어섰다. 큰엄마는 그 와중에 어떻게 작은오빠를 잡게 되었는지 동네 사람들에게 호들갑스럽게 무용담을 털어놓았다. 마을 사람들은 믿을 수 없다는 듯 혀를 내둘렀다.

안방에는 오직 아버지와 작은오빠뿐. 마을 사람들도 기막힌 아버지의 심정을 알기에 선뜻 작은오빠를 용서해달라고 나서

질 못하고 있었다. 모두 아버지의 처분만 기다리고 있는 듯했다.

엄마는 동네 사람들로부터 멀찌감치 떨어져 뒤란으로 돌아가는 모퉁이에 홀로 앉아 있었다. 가끔 손등으로 눈물을 훔치는 형상이 달빛에 담겼다. 내 등에 업혀 잠이 든 동생이 유난히 무겁게 느껴지던 밤이었다. 아마 달빛이 무겁게 내려 앉아 그랬을 것이다. 감성이 이제 갓 나온 이파리처럼 여렸던 난 엄마가 눈물을 훔치고 있는 모습이 너무 고달파 보여 툇마루 기둥 뒤에서 남모르게 눈물을 닦아냈다. 얼마나 지났을까.

"아~ 아~ ㄱ ~"

날카로운 괴성이 안방 문을 뚫고 뛰쳐나왔다. 오빠의 외마디 소리에 엄마가 자리에서 벌떡 일어섰다. 푸른 달빛에도 엄마의 얼굴은 퉁퉁 부어 있었다. "아이고~~~ 아부지~~ 살려주시오~~" 하는 작은오빠의 처절한 울부짖음이 우리 가슴을 헤집고 들어섰다. 엄마는 이제 우는 모습을 숨기지 않았다. 오빠의 외침이 커질수록 엄마의 끄억거림도 함께 커져갔다. 그때 누군가가 소리쳤다.

"아이고, 저러다가 오늘 밤에 무슨 일이 나겠구마. 얼릉 남정네들이 들어가 보씨요~."

그 누군가의 외침에 동네 남자들이 나서서 이제 그만 하라고 문밖에서 아버지를 설득하고 나섰다. 그러나 아버지는 좀체 문을 열지 않았다. 그러자 여기저기서 문을 부수고라도 들어가야 한다고 웅성거렸다. 동네 아저씨 서너 명이 안방 문짝을 뜯어냈다. 작은오빠의 축 처진 몸이 동네 아저씨 품에 안겨 이웃집으로 옮겨졌다.

늦은 밤, 공연이 끝난 무대처럼 이제 우리 가족만 남았다. 아버지는 안방에서 아직도 분을 삭이지 못해 씩씩거리고 있었고, 엄마는 마당 모퉁이에서 달빛의 위로를 받고 있었다. 언니는 건넌방에서 숨을 죽이고 있었고, 난 아직도 동생을 등에 업은 채 마루 끝에 앉아서 돌아간 사람들의 발자국을 멍하니 바라보고 있었다.

그때 흰 운동화 한 짝이 토방 밑 납작 엎드린 굴뚝 앞에 엎어져 있는 것이 보였다. 새 운동화였다. 작은오빠는 소 판 돈을 반바지 양쪽 호주머니에 빵빵하게 넣고 장터로 가서 제일 먼저 운동화 한 켤레를 사 신었다고 했다. 배가 고팠는지 찐빵도 몇 개 사 먹었더라고 큰엄마가 호들갑스럽게 동네 사람들에게 말하는 걸 들었다. 오빠가 새로 산 그 운동화가 틀림없어 보였다. 아버지에게 끌려들어갈 때 벗겨졌던 모양이다. 나는 그 운동화를 집어들었다. 오른쪽이었다. 비록 흙과 먼지를 뒤집어 썼지만 새 운동화 냄새가 물씬 풍겼다.

나에게도 꿈이 있었다. 검정타이어고무신 대신에 흰 운동화를 신어보고 싶다는. 셔츠 가장자리로 운동화에 묻은 먼지를 쓱쓱 닦아냈다. 흰 운동화가 달빛에 크리스탈처럼 빛났다. 나는 슬그머니 신고 있던 낡고 닳은 검정타이어고무신을 벗었다. 발바닥에 묻은 흙먼지를 손으로 슥슥 털어내고 오른발을 쏙 집어넣었다. 새 운동화의 감촉이 빳빳하면서도 부드러웠다. 달빛이 새 운동화에 더 많은 빛을 비춰주었다. 내 발에는 턱 없이 컸다. 그래도 새 운동화의 감촉이 좋았다. 왼발을 들고 흰 운동화를 신고 있는 오른발로 폴짝 뛰어보았다. 다시 몇 걸음 폴짝. 폴짝. 더 나아갔다. 역시 좋았다. 뒤를 돌아보았다.

그동안 내 발에 짓눌려 늘어지고 삭은 검정타이어고무신 한 짝이 텅 빈 마당에서 우두커니 날 지켜보고 있었다. 엄마의 흐느낌도, 집 모퉁이에서 넋이 나간 듯이 앉아 있는 엄마의 모습도 아랑곳하지 않고 난 계속 폴짝폴짝 앞으로 나아갔다.

아버지의 상자

　　　　　　　　〰〰〰　　깜깜한 하늘에 별 한 개가 톡 터
지듯이 아버지가 내 이름을 부르며 암흑 속에서 훅 다가왔다.
너무 뜻밖이라 눈을 동그랗게 치켜뜨며 "어머! 아, 아버지!" 하
는 순간, 화면이 바뀌듯 아버지의 모습이 스윽 사라졌다.

　눈을 번쩍 떴다. 꿈이었다. 동시에 전화벨이 유난히 날카롭
게 울렸다.

　아직 나뭇가지에 둥지를 틀고 있는 새들도 일어나지 않을 시
간에 울리는 전화벨 소리! 한국이 아니면 이토록 이른 시간에
전화할 사람이 없었다. 특히 응급상황이 아니라면 더더욱. 아니
면 시간을 잘못 계산했을 수도 있고. 울리는 전화벨 소리의 느
낌이 계산을 잘못해서 울리는 것 같지는 않았다. 느낌이 그랬
다. 무언가를 빼앗듯이 수화기를 낚아챘다. '헬로우'도 아닌 '여
보세요'를 불안과 긴장된 어조로 뱉었다.

"…."

상대방의 침묵에 불안감의 수위가 가파르게 치솟았다. 나는 다시 다그치듯 '여보세요'를 외쳤다. 그러자 수화기 너머에서 돌덩이에 눌린 듯한 목소리가 훌쩍이는 울림과 함께 들려왔다.

"언니… 나야."

8남매 중 유일하게 부모 곁을 지키고 있는 막내였다. 나는 그다음 문장이 이어지는 순간을 기다리지 못하고 다그쳤다.

"무슨 일이야? 빨리 말해!"

빨리 말하라고 다그치고 있으면서도 듣고 싶지 않았다. 느낌은 이미 뭔지 모를 큰 일이 터졌다는 걸 알아챘다. 심장 박동이 도끼로 장작을 찍어 내리듯 턱턱 막혔다. 동생이 다음 문장을 이어갔다.

"아, 아버지가… 아버지가…."

"…!! 뭐…? 아버지가? 왜? 왜에~~? 왜? ~? ~~~!!"

계곡에서 떨어지는 폭포의 절규처럼 나의 통곡이 새벽하늘을 울려댔다. 곤히 잠들어 있던 세 아이들은 영문도 모른 채 일어나 따라 울었다. 죽음이 뭔지도 모르는 어린 자녀들은 엄마가 우니까 그냥 따라 울었다. 나도 어렸을 때 그랬다. 엄마는 아버지와 다투고 나면 부엌 부뚜막에 앉아 훌쩍였다. 엄마가 울고 있으면 나는 부엌문 밖에 쪼그리고 앉아 울었다. 엄마가 우릴 두고 어디로 떠나버리면 어쩌나 하는 걱정과 불안이 뒤엉켰기 때문이다.

허둥지둥, 허겁지겁 비행기 트랩에 올랐다. 아이들은 이틀 후면 산타가 가져올 크리스마스 선물이 못내 아쉬운 듯 자꾸 뒤돌아보며 탑승을 마쳤다. 비행기가 손수레 바퀴처럼 구르는 느낌이었다. 죽음은 아직 먼 곳에 있다고 생각하며 살아왔는데, 이토록 가까운 곳에 죽음이 있다는 사실에 그저 멍했다. 아버지와의 추억을 떠올리려 해도 떠오르지 않았다. 충격은 지우는 힘을 가지고 있었다.

김포공항에 도착해 지방으로 가는 국내선 비행기에 몸을 실었다. 다른 승객들의 흘끔거리는 시선이 느껴졌다. 그제서야 기내에 있는 다른 승객들을 둘러보았다. 두꺼운 코트에 털목도리를 둘둘 말고 그것도 모자라 장갑에 부츠까지. 그들 속에 섞여 있는 나는 짧은 소매에 샌들을 신고 있었다. 하와이를 떠나올 때 고국의 계절 변화에 대해 미처 생각하지 못했다.

급작스런 아버지의 부고에 추위도 느껴지지 않았다. 나는 불효를 가장 많이 저지른 자식이었다. 세월의 물살에 쓸려간 아버지의 시간을 생각해볼 겨를도 없이 살았다. 무거운 양육의 짐을 지다가 헐거워진 어깨 한번 주물러드리지 못했다. 클레오파트라 헤어스타일이 참 멋있었다고, 추억을 유산으로 남겨주어 감사하다고 말씀드리고 싶었는데….

생의 마지막 길목에서 아버지는 평소에 꼿꼿한 두 다리로 다니시던 곳을 누워서 둘러보셨다. 평소 일하셨던 곳을 지나 작은아들이 소유한 건물 앞에서 장의차는 멈추었다. 그곳에서 우리의 슬픔은 더욱 크게 울렸다. 우리가 울었다기보다는 아버지께서 우셨을 것이다. 평생 화해를 하지 못하고 삐거덕거리기만 했던 작은아들에 대한 마음 때문에.

소꼬리 사건을 시작으로 도살장에다 아버지의 미래를 헐값에 팔아넘겨야 했던 일. 미래를 넘겨준 대신 받은 돈을 가지고 쇠고기 한 근 사러 간다고 집을 나갔던 작은아들. 그런데 쇠고기 대신 찐빵을 사먹고, 새 운동화까지 한 켤레 사 신었던 대책이 서지 않았던 아들. 학자금을 마련해줄 소가 없어져 중학교 등록금을 못 대준다고 하자 명석한 두뇌와 끈기로 거뜬히 장학금을 받아냈던 아들. 장학생으로 입학해 얌전히 학교를 다니고 있는 줄로만 생각했었는데, 큰물에서 놀아야 한다고 어느 날 갑자기 증발해버렸던 아들.

오빠가 사라진 날을 나는 똑똑히 기억하고 있다. 그날따라 작은오빠의 책가방이 유난히 두둑하고 무거워 보였다. 집을 나서기 전에 모자를 반듯하게 고쳐 쓰는 오빠의 표정이 결의에 차 보이기까지 했다. 아버지에게 큰오빠와 작은오빠는 집안의 대들보였고 딸 여섯은 덤이었다. 대들보가 없어져버린 우리집은 을씨년스러웠다. 결국 아버지는 결심을 하기에 이른다. 덤 여섯을 허리에 꿰차고 깃발을 치켜들었다. 그 깃발에는 '자식들의 교육을 위하여!'라고 적혀 있었다. 그 깃발 아래서 우리는 그길이 어디든 따라가겠다고 외치며 '맹목부대멤버'로 쌀자루처럼 처진 볼들을 하고 따라나섰다.

그런 결심과는 달리 도심의 현실은 팍팍했다. 아버지와 작은오빠의 거리는 좀처럼 좁혀지지 않았다. 아버지 마음 한구석에는 어쩌면 소꼬리 사건이 사그라지지 않았을 수도 있었다. 그러기에 작은오빠가 어떤 계획을 내놓으면, 신뢰보다는 불신이 앞을 가로막았을 것이다. 그 사이에서 우리 맹목부대멤버인 여섯 딸들의 삶도 새우등처럼 툭툭 터질 때가 있었다. 그나마 외줄을 아슬아슬하게 타던 아버지와 작은오빠의 줄이 툭 끊어져버린 사건이 발생했다.

오빠는 야심찬 계획을 가지고 있었다. 그 명석한 두뇌와 배짱으로 어찌 야심차지 않을 수가 있었겠는가! 아버지 소유인 빈 땅에 건물을 올리고 싶다는 의사를 내비쳤다. 아버지는 '주먹만 할 때부터 통 크게 일을 저지른다'는 작은아들에 대한 선입견 때문에 딱 잘라 거절했다. 대립은 막 갈아놓은 칼날처럼 서늘했다. 오빠는 또 다시 '등록금 못 대줌' 선언을 인식한 듯, 홀로 땅을 구입해 번듯한 건물을 올렸다. 건물이 완공되었을 때에도 아버지의 그림자는 보이지 않았다. 그렇게 엇갈린 두 그림자의 길은 줄곧 평행선을 달렸다.

그렇듯 살아생전에 가보지 못했던 둘째아들의 삶의 터전을 주검으로 밟으셨다. 음질이 썩 좋지 않은 녹음기에서 흐르는 애절한 선소리가 건물 구석구석을 어루만졌다. 아버지는 여섯 명의 덤까지 교육을 모두 마쳐주시고 하루 일과를 끝낸 듯 주무시다가 가셨다. 평생 당신이 살아오신 그 길이 유언인 듯, 아무런 말씀도 없이 가셨다.

장례를 다 치르고 우리 덤들은 아버지 방에 모여 앉아 유품 정리에 들어갔다. 덤들이 때마다 사드린 선물에는 아직 딱지가 떨어지지 않은 것도 많았다. 아끼시느라 입지도 쓰지도 못하고 가신 그 모습이 애석해 덤들은 또 울었다. 그 누구도 그만 울라고 말리지도 않았다. 그때 막내가 색이 바라고 귀퉁이가 뭉개진 작은 상자 하나를 발견했다. 무게도 가뿐했다. 도대체 뭐길래 이렇듯 소중하게 간직해 두셨을까, 하는 생각이 스쳤다. 덤들의 눈길이 하나같이 막내 손에 들려 있는 상자에 머물렀다. 막내가 조심스럽게 상자를 열었다. 그 안에는 삶은 달걀노른자만큼이나 누런 서류가 곱게 접혀 있었다. 서류를 펼쳤다.

작은오빠의 초등학교 성적표였다! 십수 년의 시간을 견뎌

온 성적표!

그 성적표에는 수숫대가 울창한 숲을 이루고 있었다. 우리 덤들은 성적표를 들여다보다가 방바닥에 나뒹굴어 버렸다. 울다가 웃으면 항문에 일어난다는 기이한 현상에 대해 염려할 틈도 없었다. 성적표의 선생님 코멘트 란에는 이렇게 적혀 있었다.

"두뇌는 명석하나 잔머리를 굴림."

배신자의 뒷모습

〰〰 개띠 언니가 초등학교 5학년, 난 4학년이었다. 연년생이었으니까 학년도 딱 일 년 차이밖에 나지 않았다. 그 당시 우리집은 최대 위기에 놓여 있었던 것 같다. 다름아닌 엄마 때문이었다. 엄마는 막내를 임신 중이었다. 임신중독이라고 동네 노인들이 혀를 끌끌 찼다. 엄마는 생사를 넘나들며 힘겨운 사투를 벌이고 있을 때, 난 사방치기에 여념이 없었다.

아직 어렸던 나는 엄마가 앓고 있는 병에 대해 알 리 없었다. 다만 엄마의 배가 곧 터질 듯 풍선처럼 빵빵하고 온몸이 부어 있다는 것밖에. 병원도 없는 동네였다. 엄마는 그저 동네 노인들이 알려준 민간요법에만 의존하고 있었다. 옻나무 가지를 가운데 손가락만 하게 잘라 껍질을 벗겨 계속 얼굴에 문지르는 것이었다. 누가 곁에서 문질러줄 사람도 없었다. 엄마는 죽음의 공포 앞에서 홀로 옻나무 조각으로 얼굴을 문질러댔다. 엄마의 상태를 살피러 온 동네 노인들은 안타까운 눈빛으로 우리의 뒤통수를 어루만지며 눈물을 훔치기도 했다. 아마도 희망이 없어 보였던 모양이다.

문제는 모내기가 한창인 시점이었다는 사실이다. 모내기 때가 되면 농촌에서는 강아지도 뛰고 부지깽이까지 뛴다는 말이 있다. 그만큼 눈코 뜰 새 없이 바쁜 시기라는 뜻일 것이다. 동네 사람들은 바쁜 시즌에 품앗이라는 걸 했다. 돈을 주고 일꾼을 사는 게 아니라 동네 사람들이 서로 일을 돕는 형식이었다. 우리집 일꾼은 딱 두 사람뿐이었다. 아버지와 엄마. 그 두 일꾼 중에 엄마가 일을 할 수 없으니 아버지 혼자 밤낮 없이 이리 뛰고 저리 뛰어도 밀려오는 일을 당해낼 재간이 없었던 것 같다.

아버지의 몸부림은 처절했다. 다른 사람들이 모내기를 하다가 점심이나 새참을 먹을 때면, 아버지는 우리 논으로 달려가 보리를 베어 묶었다. 집에서 남자라곤 딱 아버지뿐. 농사일이 무지하게 싫었던 두 오빠는 이미 도시로 줄행랑을 치고 없었다. 어느 날, 아버지는 아무짝에도 도움이 안 되는 오글오글한 딸들을 바라보다가 언니와 날 논으로 불러냈다. 둘을 동시에 불러낸 이유는, 둘이서 어른 한 몫을 할 수 있지 않을까 하는 계산이었으리라. 아버지가 보릿단을 묶어 놓으면 우리는 그 보릿단을 논두렁으로 날라야 했다. 보리를 빨리 베어내야만 논에 모를 심을 다음 작업에 들어갈 수 있었으니까.

그날도 언니와 나는 아버지에게 불려나갔다. 아버지가 우리 머리 위에 보릿단 한 단씩 올려 주었다. 언니 머리 위에는 큰 단을, 내 머리 위에는 작은 단을. 작은 단을 이고도 나는 휘청거렸다. 우리는 연년생이었지만, 능력 면에서 언니는 장정이었고 나는 하자였다. 언니는 내가 뒤에 잘 따라오고 있는지 확인까지 하면서 걸었다. 부슬부슬 내리던 빗줄기가 거세지기 시작했다. 굵은 빗방울이 떨어지기 시작하자 아버지의 손은 더욱 빨라졌다. 당연히 우리에게도 재촉이 따랐다. 언니는 보릿단을 이고 거의 뛰다시피 걸었다. 빗물에 논둑이 미끄러웠다. 보릿단을 쌓아두는 논두렁까지 가기 위해서는 물이 제법 흐르고 있는 도랑을 건너야 했다. 그 도랑에서 흘러내린 물은 저만치에서 폭포를 이루어 떨어지고 있었다. 나이에 비해 덩치도 크고 힘도 센 언니는 별 문제 없이 도랑을 홀쩍홀쩍 잘도 건넜다. 그에 비해 몸집이 작았던 나는 늘 아슬아슬하게 건넜다. 몇 번을 왔다 갔다 하던 난 서서히 지쳐갔다. 다리에 힘이 빠지기 시작하던 난 보릿단을 인 채 그 도랑에 풍덩 빠지고 말았다.

앞서 가던 언니는 아직 날 발견하지 못한 상태였다. 갑자기 쏟아지는 비로 도랑물이 막 불어나고 있던 참이었다. 놀란 나는 소리도 지르지 못하고 보릿단과 함께 물에 쓸려가고 있었다. 앞서 걷던 언니는 뒤에서 초작초작 들리던 나의 발자국 소리가 나지 않자 뒤를 돌아보았다. 동생은 보이지 않고 내가 이고 가던 보릿단이 동동 떠내려가고 있는 걸 목격한 언니는 이고 있던 보릿단을 내팽개치며 소리를 질렀다.

"오메, 엄니~~~~~~~~."

언니는 내가 폭포수가 되어 떨어지기 직전에 물속에서 끌어내주었다. 물에 빠졌다는 두려움과 한기로 이가 달그락거렸다. 눈물이 났다. 추워서 더 이상 일을 못하겠으니 그냥 집에 가자고 언니를 졸랐다. 우리가 집에 가고 싶다고 그냥 갈 수 있는 상황이 아니라는 걸 언니는 잘 알고 있었다. 흔들리는 언니의 눈빛을 보며 떼를 썼다. 빨리 아버지한테 허락을 받아내라고. 언니는 빗속에서 홀로 일을 하고 있는 아버지에게 다가갔다. 멀리서 봐도 아버지의 한숨 소리가 굵은 빗방울과 함께 떨어지는 것 같았다. 아버지의 눈빛이 언니를 빗겨서 오들오들 떨고 있는 날 응시했다. 잠시 후, 언니가 가벼운 발걸음으로 달려왔다. 우리는 빗속에서 도랑을 폴짝폴짝 뛰어 건넜다. 우리가 쌓아두었던 보릿단을 지나치면서 뒤를 돌아보니 아버지의 모습이 휘어진 낫과 같았다.

집으로 가기 위해서는 저수지를 건너고 가파른 산등성을 넘어가야 했다. 내 안에 또 다른 누가 나를 조정하듯이 몸이 떨려 왔다. 언니도 몹시 추위가 느껴졌던 모양이다. 우리는 저수지에 잠시 몸을 담그기로 했다. 물속은 솜이불처럼 따뜻했다. 신기했다. 누군가 그 많은 저수지 물을 데워 놓은 것 같았다. 물속에 들어앉아 빗방울이 물 표면에 톡톡 튀는 걸 바라보았다. 빗방울이 떨어지는 순간 꽃이 활짝 피어났다. 빗방울이 거세지면 거세질수록 크고 작은 꽃들이 마구 피어올랐다. 하늘에서 떨어지는 꽃방울들을 한참 동안 바라보았다.

언니와 난 누가 먼저라 할 것 없이 물속에서 나와 저수지 다리를 향해 걸었다. 다리는 제방으로 지어져 있었다. 저수지에 물이 차오르면 다리도 물에 잠기곤 했다. 언니와 난 종아리에서 살랑거리는 물을 가르며 다리를 건넜다. 그 다리를 건너면 산등성이를 넘어가는 실 같은 산길이 나온다. 그 길을 넘어가야만 우리 동네다. 그 길은 지름길이기도 했다. 저수지 방파제를 따라 빙 돌아가는 길이 있었지만, 우리 걸음으론 족히 두어 시간은 걸릴 터였다. 언니가 앞서고 나는 뒤를 따랐다. 어디를 가든 내가 앞서는 경우는 거의 없었다. 이유는 간단했다. 언니는 키가 크고 난 작았다. 우리가 신고 있던 검정타이어고무신이 물을 먹어 뿌걱거렸다.

그런데 앞서 걷던 언니가 흠칫 걸음을 멈추었다. 나도 덩달아 섰다. 언니가 파르르 떨었다. 자작나무 이파리처럼. 언니의 시선은 한 곳에 정지되어 있었다. 그 정지된 지점을 쳐다보던 나 역시 바람 앞에 선 자작나무 잎이 되었다. 이가 딱, 딱, 따다닥 하고 부딪치기 시작했다. 언니 발 앞에 내 몸통만한 비단 구렁이가 스르륵스르륵 길을 건너고 있었다. 만약 실수로 그 구렁이를 밟았더라면 어찌 됐겠는가! 이빨 부딪치는 소리를 구렁이가 들을까 봐 난 두 손으로 입을 틀어막았다. 입을 막고 있는 두 손까지 와들와들 떨렸다. 그때였다. 갑자기 언니가 몸을 휙 돌렸다. 겁에 질린 언니의 눈은 동공이 열려 있었다. 언니를 방어벽으로 여기고 있던 나를 밀치고 언니가 뛰기 시작했다. 이제 언니 대신 내가 뱀 앞에 서게 되었다! 도망치는 언니의 발소리 진동을 감지한 것이었을까. 가는 철사줄과 같은 빨간 혀를 날름거리며 몸을 반쯤 꼰 채로 날 향한 구렁이! 순간 나는 괴성을 토해냈다.

　"으~아~악~!"

　나의 자지러지는 비명에도 아랑곳하지 않고 언니는 혼자만 살겠다고 뒤도 돌아보지 않고 뛰어가고 있었다.

개띠 언니

〰〰 여행 중에 거대한 체인스토어에 들어섰다. 어디를 가든 한결같은 분위기와 이미지가 눈에 들어온다. 아무리 낯선 곳이라도 자동문을 들어서면 눈에 익은 풍경이다. 그런 익숙함 때문에 여행하는 중에는 더더욱 대형 체인스토어를 찾게 된다.

그날도 낯선 도시에서 필수품을 사기 위해 자동문을 들어서자마자 망설임 없이 발의 기억을 따라 걸었다. 즐비하게 진열된 미디어 섹션을 지나는데 눈길이 나의 발목을 붙들었다. 영화 〈닥터 지바고〉였다. 내가 말하지 않았는데도 심장이 먼저 알고 파닥거렸다. 나는 흥분을 감추지 못한 채 마지막 남은 〈닥터 지바고〉 DVD를 집어들었다. 그 순간 나는 이미 블랙홀과도 같은 두 남녀 주인공의 애잔하면서도 강렬한 눈빛 속으로 빨려 들어가 사십 년을 뒷걸음질치고 있었다.

사십 년 전 어느 여름날, 그 여름밤은 무척이나 낯설었다. 별빛은 게슴츠레했고, 상큼한 갯바람 대신에 눈깔이 흐리멍덩한 생선 비린내가 마치 싸구려 향수처럼 후각을 비집고 들어왔다. 나와 언니는 그렇게 고릿한 냄새가 폴폴 풍기는 조각난 생선 궤짝을 깔고 시장을 관통하는 하천 가장자리에 앉아 있었다.

언니는 열세 살, 나는 열두 살이었다. 그때 우리는 진짜 촌닭이었다. 자식들 교육 때문이라는 거창한 이유를 내걸고 도시행을 결심한 아버지를 따라 시끌벅적한 항구도시에 안착했지만, 우리는 우리의 미래가 아버지가 내건 슬로건처럼 거창하지 못하리라는 사실을 일찌감치 알아차려 버렸다. 우리가 지내게 될 집도 시골집보다 비좁고 환경도 결코 더 낫지 못했다. 그나마 위안이 되었던 건, 시골에서는 특별한 날에나 먹을 수 있었던 음식들이 재래시장통에는 지천으로 널려 있다는 것이었다.

그 당시 고등학생이었던 작은오빠 역시 그런 상황을 감지했는지 동생들의 교육환경에 꽤나 책임감을 느끼며 신경을 곤두세웠다. 조무래기 여동생들을 시립도서관에도 데리고 가서 책을 접하게 하고, 시내 영화관에 명화가 들어와 학교에서 '학생 입장'이 허락되면 동생들을 데리고 가려고 노력했다. 그런 오빠의 노력에 대한 보람도 없이 그때마다 한 살 위인 개띠 언니와 난 집에 없었다. 그만큼 개띠 언니는 한시도 가만있지 않고 싸돌아다녔다. 나 또한 개띠 언니 뒤를 똘마니처럼 졸졸 따라다녔다.

그날도 오빠 학교에서 영화 관람이 있었다. 오빠는 영화관으로 가던 도중에 살짝 이탈하여 집으로 달려왔다. 역시나 언니와 나는 집에 없었다. 꿩 대신 닭이라고 집에서 얌전히 책을 읽고 있던 초등학교 4학년짜리 여동생만 데리고 갔다. 한참 후에야 집에 돌아온 우리는 엄마를 통해 그 사실을 알게 되었다. 나는 속이 상해 털썩 주저앉아 울음보를 터뜨리고 말았다. 마치 언니가 억지로 날 끌고 다녀서 영화를 못 보게 된 듯이 말이다. 그런 우리에게 엄마는 희망을 턱 던져주었다.

"쩌~어기에 있는 극장에서 한다고 했응께 지금이라도 얼릉 가봐라."

나는 엄마의 말이 떨어지기가 무섭게 손등으로 눈물을 쓱쓱 문지르고 발딱 일어섰다. 개띠 언니는 나한테 미안한 맘이 들었던지 앞장을 섰다. 영화를 한 번도 본 적은 없었지만 극장을 본 적은 있었다. 시골 면소재지에서 열리는 5일장에 어쩌다 엄마를 따라갈 때면 고래 등 같은 건물이 극장이라고 했다. 그 극장 스피커에서 흘러나오던 애간장 끊는 남녀배우의 대사에 나의 심장은 두근거리고 영혼은 마법에 걸린 듯 꼼짝할 수가 없었다.

드디어 나도 극장에 가서 영화를 볼 수 있다는 설렘으로 언니 손을 꼭 잡고 극장을 찾아 나섰다. 해가 산봉우리에 걸려 있었다. 저녁 장 끝물이라 시장통에서는 여기저기서 "떨이요, 떨이."를 외치는 장사꾼들의 소리가 들려왔다. 시장통 입구를 막 벗어나려는 찰나에 개띠 언니가 내 손을 다급하게 끌어당기며 "떨이"를 외치는 생선장수보다도 더 크게 외쳤다.

"저기다!"

언니가 가리키는 손가락 끝을 따라가 보니 정말 극장이 있었다! '태평극장'이라는 글씨가 알록달록한 컬러에 휩싸여 공중에서 번쩍 나타났다가 사라지기를 반복했다. 그게 네온사인이라는 것이었다. 개띠 언니와 나는 황홀한 기분으로 고개를 젖히고 글씨가 나타날 때마다 함께 따라 읽었다. '태. 평. 극. 장. 태평. 극장. 태평극장'. 글씨 한 자 한 자를 따라 읽을 때마다 온몸에 퍼지던 짜릿한 흥분! 개띠 언니는 곧 영화가 시작될 터이니 편하게 앉아서 보자고 했다. 나는 개띠 언니의 말을 철석같이 믿고 따랐다. 비록 한 살 터울이라도 하루 세 끼 밥그릇으로 따지자면 1,095그릇이나 된다는 아버지의 말씀 때문이었다. 아마도 연년생인 두 딸의 위계질서를 바로 세우기 위해 '일 년의 1'이라는 숫자보다는 '1,095'라는 어마어마한 밥그릇 숫자로 내가 동생임을 확실하게 쐐기를 박으셨던 모양이다.

아버지의 노력에도 불구하고 나는 성인이 될 때까지 개띠 언니에게 존칭을 쓰지 않았다. 비록 존칭은 쓰지 않았지만 말은 고분고분 듣는 편이었기에 번쩍거리는 네온사인이 극장이고, 그곳에서 영화를 상영하고, 우리는 이제 영화를 볼 수 있다는 기상천외한 개띠 언니의 공식을 받아들이지 않았겠는가! 영화를 보려면 돈을 주고 극장 안으로 들어가야 한다는 사실조차도 몰랐던 두 시골뜨기 자매! 우리는 시장 주변 하천 가장자리에 앉아 고개를 치켜들고 '태평극장'이라고 깜박거리는 직사각형 네온사인을 뚫어져라 바라보았다. 깔고 앉은 생선궤짝 쪼가리에서 솔솔 올라오는 비릿한 냄새도 그 순간만큼은 전혀 문제가 되지 않았다.

그런데 어찌 된 일인지 아무리 기다려도 영화는 시작되지 않았다. 네온사인을 따라 읽는 것도 점점 지쳐갔다. 어둠이 도시로 저벅저벅 걸어 들어오고 있었다. 우리는 어느새 서로의 머리를 맞대고 하천에서 살살 흐르는 물소리를 들으며 졸고 있다가 한 소리에 눈을 번쩍 떴다.

"느그들 시방 여기서 뭐하냐?"

어둑한 빛 속에서 오빠와 동생이 서 있었다.

"영화 볼라고 기다리고 있는디?"

"워~메, 영화는 볼쎄 끝나부렀는디야!"

"이잉~?"

나는 개띠 언니를 째려보며 콧김까지 훅훅 불면서 오빠를 따라 집으로 돌아왔다. 나보다도 고작 한 살 많은 개띠 언니의 말을 믿었던 내 자신이 미워 견딜 수가 없었다. 발발이 개띠 언니는 집에 돌아오자마자 부엌에서 엄마의 일을 거들기 시작했지만, 나는 보지 못한 영화에 대한 억울한 마음을 떨쳐버리지 못하고 동생을 붙들고 다락방으로 올라갔다. 자못 명령에 가까운 톤으로 보고 온 영화에 대해 소상히 설명할 것을 요구했다. 그날 동생이 보고 온 영화 제목은 불후의 명작 〈닥터 지바고〉였다. 그런데 동생은 영화 스토리가 아닌 그림을 말해주고 있었다!

"아줌마 아저씨가 나오고, 눈이 많이 오고, 아저씨는 털모자도 쓰고 있었고…."

아! 나는 좌절의 마음으로 머리를 벅벅 긁으며 다짐했다.

'내 다시는 개띠 언니 따라다니나 봐라!'

그래서일까, 개띠 언니와 난 평생 가까운 곳에 살아본 적이 없다. 지금도 우리는 태평양을 사이에 두고 살고 있다. 인생의 해가 기우는 걸 바라보면서 나는 가끔 생각에 젖는다.

'그래도 언니를 따라다닐 걸 그랬나….'

어둠이 외출하는 시간

　　　　　　　　　　≋≋　누군가의 깊은 슬픔을 들여다
본다는 건 고통의 울림을 동반한다.

　난생처음 죽음을 정면으로 바라보았다. 내 나이가 몇 살이었
을까? 일곱? 여덟? 아홉? 정확히 기억나지 않는다. 다만, 아직
수영을 할 줄 몰랐다는 사실뿐. 수영을 못했어도 연년생인 언니
와 함께 저수지 물가에서 자주 놀았다. 어린 시절을 보냈던 곳
은 군, 면도 부족해 '리'까지 들어간 깡촌이었다. 수영을 할 때
수영복을 입고 한다는 사실조차도 몰랐으니까. 물놀이를 할 때
는 무조건 옷을 훌러덩 벗었다.

　우리 동네 앞에는 큰 저수지가 있었다. 한 바퀴를 돌면 십 리
쯤 된다는 저수지 주변에는 농토가 평야처럼 펼쳐져 있었다.
우리 동네는 물론이고 이웃 동네 사람들도 그 저수지에 의존
해 농사를 지었다. 모내기철에는 저수지 둑에서 점심이나 새참

을 먹었다. 어른들이 모내기를 하고 있는 동안, 우리는 물놀이에 열심이었다.

그날 역시 동네 누군가의 집 모내기를 하는 날이었다.

연년생인 언니, 이웃집 언니 그리고 여름방학을 이용해 동네 친척집에 놀러 온 예쁜 언니와 나는 저수지 둑에 옷을 벗어놓고 물장구를 치며 놀았다. 여름이면 땡볕 아래서 천방지축 뛰어놀아 검게 그을려 칙칙한 우리의 피부에 비해 예쁜 언니의 피부는 햇빛 아래서 사기처럼 빛났다. 그 언니의 피부를 가지고 싶어 비누를 듬뿍 발라 아무리 문질러도 그을린 피부는 요지부동이었다. 그녀는 헤어스타일 역시 우리와는 차별화되어 있었다. 오직 실용성에만 입각하여 아버지가 싹둑싹둑 잘라놓은 '아부지 표' 헤어스타일과는 달리, 예쁜 언니는 긴 생머리를 하고 있었다. 살랑대는 바람에 그녀의 긴 머리가 찰랑대면 난 오래도록 그녀를 바라보았다. 말씨도 차원이 달랐다. 다듬어지지 않은 우리의 둔탁한 말투는 유리 위를 구르는 구슬소리 같은 그녀의 말씨에 더더욱 투박하게 느껴졌다. 잘 익은 과일의 맛처럼 사람을 끌리게 하는 그 말씨를 닮고 싶어 속으로 웅얼거려보기도 했다. 그렇듯 그녀가 온상에 피어난 백합이었다면, 우린 들판의 잡초 같았다.

그날 우리 넷은 저수지 물가에서 물장구를 치며 한참을 놀았다. 검정고무신에 밥풀데기를 넣고 새우들을 유혹하기도 했다. 몇몇 새우가 먹이를 찾아 검정고무신 안으로 쏙 들어오면 고무신을 가만히 들어다가 평평한 돌 위에 놓고 그들이 당황해 팔딱거리는 꼴을 지켜보며 깔깔거렸다. 그러다가 나를 제외한 세 언니들은 조금 색다른 물놀이를 하자고 의견을 모았다. 셋이 일렬횡대로 팔을 벌린 채 섰다. 이웃집 언니가 저수지 가장자리에 서고, 달달한 말씨를 쓰는 언니가 중앙에, 연년생인 언니가 제일 안쪽에 섰다. 말씨가 예쁜 언니를 중앙에 세운 건 나름 손님에 대한 배려(?)가 아니었을까 하는 생각을 지금에 와서야 한다. 셋은 물결도 일지 않은 수면을 가르며 앞으로 나아갔다. 저수지 가장자리를 따라 나아가고 있었기에 물이 가슴팍 이상 깊어지지는 않았다. 그들의 뒷모습을 바라보고 있던 나는 다시 바닥에 손을 짚고 발로 물장구를 치기 시작했다. 한참을 놀고 있는데 다급한 발자국 소리가 들렸다.

호 호랑이, 귀 귀신….

새파랗게 질린 얼굴로 연년생 언니가 말을 더듬거리며 뛰어왔다. 그 뒤를 이어 다른 언니가 또 달려오고 있었다. 셋이 갔는데 돌아오는 건 두 사람뿐이었다. 아직도 상황 파악을 하지 못하고 있는 날 향해 언니가 다그쳤다.

"빠, 빨리 나와! 호, 호랑이, 귀신이 나타났어!"

호랑이와 귀신이라는 말에 나 역시 허겁지겁 물에서 나왔다. 그 나이에 가장 무서운 것은 귀신과 호랑이였다. 밤에 호랑이가 산에서 내려와 아이를 물고 갔다는 이야기며, 귀신에게 잡혀갔다는 이야기를 어른들로부터 수없이 들어왔기 때문이다. 두 언니는 바위에 눌러붙은 소똥처럼 놓여 있는 옷을 집어 들고 모내기를 하고 있는 어른들을 향해 뛰기 시작했다. 우리는 몸에 묻은 물기를 닦을 수건도 없었거니와 그럴 여유도 없었다. 옷을 어떻게 입었는지 기억도 나지 않는다. 거꾸로 입었는지 뒤집어 입었는지… 논을 향해 뛰어가는 언니를 쫓아가기 위해 검정고무신을 들고 뛰었다. 고무신 안에 들어 있던 새우가 어떻게 되었는지 모른다. 돌 위에서 펄떡거리다가 다시 물로 뛰어들었거나, 아니면 뛰는 내 발밑에 짓이겨졌거나….

조금 후 저수지는 모내기를 하던 수십 명의 어른들로 꽉 찼다. '수색대' '구조대'가 물속 어딘가에 있을 그 언니의 이름을 부르며 찾았지만 대답이 없었다. 연년생 언니와 다른 언니는 동네 아주머니들에게 둘러싸여 무슨 일이 어떻게 일어났는지 횡설수설 설명을 했다. 셋이 팔을 벌리고 계속 가고 있었다. 갑자기 한 언니가 물속으로 쏙 빨려 들어갔다. 허우적거리며 옆에 있는 언니의 팔을 잡아당겼다. 함께 허우적거리다가 언니는 간신히 빠져나왔다. 빠진 곳이 어디냐는 질문에 두 언니는 약간

다른 지점을 가리켰다. 어른들은 그 두 지점을 집중적으로 뒤지기 시작했다. 두 언니는 여름인데도 영하의 날씨에 벌거벗고 있는 듯 입술이 새파랗게 질린 채 덜덜 떨었다. 그렇게 혼비백산 우왕좌왕한 틈을 타고 한 소리가 터져 나왔다.

찾았다!

순간 정적이 저수지의 수면 위로 내려앉았다. 모두 "찾았다!'고 외친 쪽으로 고개를 돌렸다. 실오라기 하나 걸치지 않은 허연 몸이 물 위로 치켜져 올라왔다. 물에 젖은 긴 생머리가 축 늘어져 있었다. 팔과 다리는 어떤 형태를 취하고 있었는지 떠오르지 않는다. 다만 유난히 검고 치렁했던 머리에 대비되었던 희고 말갛던 피부의 잔영만 남아 있다. 그 언니의 몸을 치켜들고 있던 동네 아저씨의 머리는 보이지 않았다. 두 팔만 보였다. 저수지에 흩어져 예쁜 언니를 찾고 있던 동네 아저씨들이 벌집으로 향하는 벌떼처럼 모여들었다.

축 늘어진 예쁜 언니는 동네 사람들에 의해 저수지 둑으로 옮겨졌다. 사람들이 시신을 거꾸로 들고 물을 토해내게 했지만 물은 나오지 않았다. 아침에 먹었던 음식만 조금 흘러나왔을 뿐. 예쁜 언니가 빠진 곳에는 깊은 구덩이가 있었다고 했다. 누가 주저앉히기라도 하듯 물속에 쭈그린 채였다고. 처음 그녀를 발견한 사람의 설명이었다. 그 예쁜 언니는 그렇게 돌아오지 못할 길을 가고 말았다.

물속에서 빠져 나오지 못한 그녀는 무남독녀라고 했다. 부모님도 오지 않고 혼자 시골 친척집에 놀러 왔다가 변을 당한 것이다. 누군가는 주장했다. 빨리 아이 부모에게 연락을 해야 한다고. 한 사람이 면소재지를 향해 내달렸다. 전화기도 없던 터라 전보를 치기 위해 내달린 것은 아니었을까.

이후 얼굴이 희고 눈이 퀭한 아주머니가 한동안 밤낮을 가리지 않고 온동네 산을 휘젓고 다녔다. 그 언니의 엄마라고 했다. 그녀의 남편은 딸의 무덤이 어딘지 부인에게 알려주지 않기로 결심을 한 것이다. 무덤을 파헤칠까봐. 무남독녀를 잃었으니 그 슬픔을 어디에다 메어놓을 수 있었겠는가. 예쁜 언니의 엄마는 산이 가장 가까운 집에서 머물고 있었다. 그녀가 마루에 앉아 딸이 묻혀 있는 산 어딘가를 하염없이 바라보는 눈빛을 훔쳐본 적이 있었다. 정상적인 사람의 눈빛이 아니었다. 그녀 또한 이미 우리가 속한 곳에 있지 않다는 느낌이 들었다. 실성한 듯한 그녀는 결국 딸의 무덤 찾기를 포기하고 동네를 떠났다. 동네 사람들의 기억 속에서도 그 예쁜 언니의 죽음이 희미해져갔다. 나도 그 죽음의 충격으로부터 벗어나 있었다.

그러던 어느 날, 그녀가 다시 돌아왔다. 다시 돌아온 그녀는 다른 모습이었다. 산을 모두 헐어내 딸의 시신을 찾겠다는 무서운 의지의 눈빛도 없었다. 폭삭 늙은 한 노인의 모습이었다. 생을 초월한 모습도 아니고 원망에 가득찬 표정도 아니었다. 포기. 포기한 삶을 살고 있는 모습 그 자체였다. 그때는 우리 가족이 도시로 이주를 하기 위해 부모님과 연년생 언니 그리고 신생아였던 막내가 잠시 집을 비운 시기였다. 엄마는 나와 동생들을 이웃집 할머니에게 부탁을 했었다. 부탁을 받은 이웃집 할머니는 밤이면 우리집에서 우리와 함께 잠을 잤다. 해가 없는 나라에서 살고 있는 듯한 그녀도 할머니 곁에 누웠다.

그날 밤, 방 윗목에는 수상한 자루가 하나 놓여 있었다. 원래 후각이 둔한 나다. 그 둔한 후각에 잡힌 냄새인지라 신경을 안 쓸 수가 없었다. 잠이 오지 않았다. 저게 무얼까? 밀가루 부대와 같은 흰 자루에 들어 있는 저것. 그 당시 밀가루 부대는 흰 천으로 만들어져 있었다. 가루가 담겨져 있지는 않아 보였다. 천장을 쳐다보며 오만 가지 추리에 빠져 있을 때였다. 주무시는 줄 알았던 이웃집 할머니의 온화하고 조근조근한 목소리가 들려왔다.

"인자 맘 편히 묵소. 살아 있으믄 더 좋겠지만 세상살이 어디 맘대로 되는 일이 있등가. 뼈라도 품에 넣어웅께 되얐다 생각허소. 이 말이 야속허제. 그맘 아네… 왜 모르것능가 나도 자식키우는 에민디. 귀하고 이쁜 새끼 이장할 뼈라도 있응께 얼마나 다행인가.”

　그 예쁜 언니의 뼈가 바로 그 자루 속에 들어 있었던 것이다!

　죽은 자와 같은 방에 있다는 사실 때문에 정신은 더욱 명료하고 눈은 말똥거렸다. 창문에 빛이 희끄무레 번지기 시작했다. 그녀는 살그머니 몸을 일으켰다. 낮에 입었던 옷을 그대로 입고 잤기에 잠옷을 갈아입을 번거로움도 없이 일어나 앉았다. 창문을 통해 들어오는 얇은 빛이 그녀의 행동을 일러주었다. 그녀는 베개에 눌린 머리 부분을 손으로 두어 번 매만지더니 가만히 자루를 끌어안았다. 아기를 품에 안듯이… 그리고 소리 없이 방문을 열고 나갔다. 이웃집 할머니는 아직 곤한 잠에 빠져 있었다.

너무 많은 것을

부모의 동맥을 관통하고 있는 필생의 숙제가 있다. 어떻게 하면 나보다 더 능력 있는 자식을 키워내느냐 하는 것이다. 이념의 대결로 아수라장이 된 역사를 살아온 우리네 부모는 자식들만은 본인들이 겪었던 참혹한 상황에 처하지 않게 하기 위해 노력해왔다. 그러나 그러한 고품격(?) 노력과 희생이 언제나 긍정적 효과만을 낳는 것은 아니다. 우리 가족에게도 그 폐해의 잔재가 아직 남아있다.

외아들이셨던 아버지는 첫아들 출생 후 고심에 빠졌다. 나라는 아직 어수선한 상태. 아들이 청년으로 자라날 때까지 정치가 불안정하면 또 다른 전쟁이 일어날지도 모른다는 걱정이었다. 귀하게 태어난 아들을 폭격의 먼지로 사라지게 한다는 건 생각만으로도 끔찍했기 때문이다. 그렇다고 호적도 없이 살아가게 할 수는 또한 없는 일. 할 수 없이 첫 아들이 네 살이 되어서야 출생신고를 하게 된다. 문제는 생산 공장은 계속 가동되고 있었다는 사실이다. 생산 공장이 가동이 되니 둘째아들이 태어났다. 아들이 둘이 되니 걱정이 살짝 누그러졌던가 보다. 한 녀석이 잘못되더라도 다른 아들이 계보를 이어갈 수 있을 것이므로. 그런 이유로 삼 년차 두 형제는 갑자기 연년생으로 출생신고가 되었다. 둘째 아들에 이어 또 딸이 태어났다. 추월을 할 수는 없는 일. 또 한 살 터울로 출생신고를 할 수밖에. 우리집에는 다섯 명의 아들딸이 일 년 간격으로 태어났다는 희대의 기록이 그렇게 탄생되었다! 그토록 귀하게 지키고자 했던 아들이어서였을까, 큰아들에 대한 아버지의 기대치는 꽤 높았다. 사사건건 지적하고 매사에 달달 볶았다. 큰아들은 달구어진 프라이팬에 담긴 콩처럼 이리저리 튀었다.

부모는 종종 자신이 자식에게 하는 행위가 모두 옳다는 착각에 빠지기 쉽다. 부모는 인생이 내어준 길을 이미 가 보았고 자식은 아직 가보지 않았기 때문이다. 길을 가본 사람은 그 길에 대한 결과를 빤히 보고 있다고 믿는다. 그런데 자식은 그렇지 않다. 행동방식 역시 다르다. 옷 입는 스타일도 맘에 들지 않을 때가 많다. 예의범절은 또 어떻고. 부모 세대들은 자식의 공부하는 방식도 성에 차지 않는다. 귀에 이어폰을 꽂고 컴퓨터 화면은 켜져 있다. 진동으로 전환시켜 놓은 핸드폰은 연일 드르륵

거린다. 부모는 또 한숨이다. 저렇게 해서 어떻게 집중이 될까! 그렇다고 잔소리가 이어지면 자식의 눈은 반항의 눈빛을 발할 것이 뻔하다. 여기 아버지와 아들의 관계 회복을 표현한 울림의 글이 있다. 서로에게 눈으로 보는 시간이 아닌 마음으로 보는 시간이면 어떨까.

“아빠가 잊고 있었다”

아들아, 들어보렴: 아빠는 네가 잠들어 있는 사이에 지금 이 말을 하고 있단다. 너의 작은 손은 볼 밑에 구겨진 듯 놓여 있고, 곱슬머리는 땀에 젖어 이마에 달라붙어 있구나. 나는 너의 방에 살그머니 들어와 있단다. 조금 전에 서재에서 서류를 보고 있는데 무거운 회한이 나를 덮치더구나. 그래서 죄책감에 휩싸인 채 이렇게 너의 머리맡에 앉아 있단다.

아들아, 너에게 참회하고 싶은 몇 가지가 있다. 내가 너에게 너무 모질게 굴었다. 고양이 세수를 하고 등굣길에 나선다고 꾸짖었고, 신발이 깨끗하지 않다고 나무랐고, 소지품을 마루에 아무렇게나 늘어놓는다고 화를 냈었지. 아침 식탁에서도 아빠는 너의 잘못을 꼬집곤 했다. 넌 음식을 쏟는가 하면, 꼭꼭 씹지도 않고 그냥 삼켰거든. 식탁에서 턱을 괴고 있었고, 빵에는 버터를 너무 많이 발랐으니까. 그래도 너는 놀러 나가면서 출근하는 나를 향해 손을 흔들며 외쳤지. “안녕히 다녀오세요,

아빠!" 그러는 널 향해 나는 또 인상을 찌푸리며 말했었다.

"어깨를 쭉 펴라!"

오후 퇴근길에도 역시 마찬가지였다. 집으로 돌아오는 길이었다. 너는 땅바닥에 무릎을 꿇고 친구들과 구슬치기에 여념이 없었지. 그런데 네 양말에 구멍이 난 것이 보였어. 아빠는 널 앞세워 집으로 돌아옴으로써 친구들 앞에서 창피를 주었지. 그리고 말했어. 그 비싼 양말을 만약 네 돈으로 직접 샀더라면 좀 더 소중히 다루었을 거야! 하고. 아들아, 그런 말을 네가 이 아빠로부터 들었다는 사실이다!

기억나니? 늦은 저녁 아빠가 서재에서 책을 읽고 있을 때였다. 네가 경계의 눈빛을 띠며 움츠린 표정으로 들어섰던 것을? 문에서 주저주저하고 있는 널 향해 나는 방해 받는 것이 싫다는 듯 서류에서 눈을 떼며 퉁명스럽게 "무슨 일이냐?" 하고 물었었다. 그때 너는 아무것도 아니라며 나에게 달려와 목을 꼬옥 끌어안고 뽀뽀를 해주었지. 사랑으로 나의 목을 꼬옥 껴안은 너의 그 작은 팔은 하나님이 너의 마음속에 가득 채워준 사랑이란 걸 그때 알았다. 그건 그 어떤 냉정함도 수그러들게 할 수밖에 없는 것이었어. 그러고 나서 너는 이층 네 방으로 총총히 올라가버렸지.

아들아, 그 순간이었다. 나는 두려움으로 손에 들고 있던 서류를 떨어뜨리고 말았다. 도대체 무엇이 나로 하여금 그런 못된 버릇을 갖게 했을까, 하는 것 때문이었다. 잘못을 찾아내 질책하는 습관. 그건 널 올바른 아이로 키우려다 생긴 버릇이었던 것 같다. 널 사랑하지 않아서가 아니고. 다만 어린 너에게 너무 많은 것을 기대한 데서 비롯된 것이었어. 아빠는 아빠의 기준에 너를 맞추려고 했던 거야. 너에게는 너만의 훌륭하고 좋은 그리고 진실한 성품이 있는데 말이야. 너의 작은 가슴은 넓은 언덕을 비추는 새벽의 찬란한 빛처럼 한없이 넓다는 사실을 알고 있다. 매일 밤 네가 나에게 달려와 해주는 잠자리 뽀뽀가 그걸 말해주지. 아들아, 오늘 밤에는 너의 침실에 들어와 어둠 속에서 무릎을 꿇고 내 스스로를 부끄러워하고 있단다!

이것이 너무 미약한 사죄에 불과하다는 걸 알아. 네가 깨어있는 상태에서 이걸 말한다 하더라도 넌 아직 이해하지 못할 거야. 하지만 내일부터는 진짜 좋은 아빠가 될 거야. 너와 친구처럼 사이좋게 지내고, 네가 고통스러울 때 고통스러워하고, 웃을 때 함께 웃을 거야. 참을성 없는 말이 튀어나오려 하면 혀를 깨물어 참을 거야. 그리고 "우리 아들은 아직 어린애에 불과해!"란 말을 주문처럼 외울 거야.

너를 한 사람 어른으로 보았던 것을 죄스럽게 생각한다. 아들아, 네가 피곤해 쓰러져 잠든 모습을 보니 아직 철부지 아이라는 사실을 알겠구나. 어제까지도 너는 엄마의 어깨에 머리를 기댄 채 안겨 있었지. 내가 너에게 너무 많은 것을 요구했구나. 너무 많은 것을.

— Poem by W. Livingston Larned(번역 : 이성애)

제2부

너도

약해지지

마

살아가거라

～～～ 아주 오래 전 일이다. 비빌 언덕도 없었던 남편과 나의 미국 생활은 황무지를 개척하는 듯한 도전의 연속이었다. 달랑 MBA 졸업장 하나 들고 생활 전선에 뛰어든 우리의 자산은 이제 갓 이민을 온 사람들에 비해 의사소통이 약간 원활하다는 것과 무슨 일이든지 하겠다는 각오가 전부였다.

그런 각오로 죽을힘을 다해 뛰다보니 우리에게도 기회라는 것이 찾아왔다. 꽤 통통한 투자의 기회를 잡은 것이다. 하지만 우리가 가진 자본금은 턱없이 부족했다. 일단 가지고 있는 자금을 탈탈 털어 착수금을 걸고 변호사를 선임했다. 키가 크고 깡마른 오십 대 중반으로 보이는 백인 변호사였다. 우리는 어떻게 하면 그 기회를 놓치지 않고 잡을 수 있을까를 그와 함께 머리를 맞대고 고민했다. 그러다 보니 눈 깜짝할 사이에 변호사 비용이 가파르게 치솟고 있었다. 그런 상황에서도 그는 우리에게 변호사 비용에 대해 단 한 번도 언급하지 않았다. 만약 계약을 성사시키지 못하면, 착수금 포기는 물론이고 변호사 비용까지 고스란히 책임져야 하는 아슬아슬한 도박이었다.

잔금을 치러야 하는 마감일은 착수금 지불일로부터 삼십 일이었다. 다행히 투자를 하겠다는 사람이 나서서 우리는 희망에 부풀었다. 그런데 마감 3일을 남겨 놓은 상태에서 그 투자자는 투자 의사를 철회하고 말았다. 위험 부담이 너무 크다는 판단 때문이었다. 충격은 갑자기 방향을 바꿔 돌진하는 쓰나미처럼 밀려들었다. 파도의 시퍼런 눈이 우리를 삼킬 듯이 노려보고 있었다. 시계의 초침 소리는 우리를 절벽으로 한 걸음 한 걸음 내몰고 있었다. 남편과 나는 마감일을 향해 뒷걸음질을 치면서 손에 땀을 쥐었다. 심장박동이 빨라졌다. 깊은 어둠이었다.

거실 중앙에 쌓인 투자 관련 서류 박스 더미의 무게와 우리의 의지가 저울추에 올라 있었다. 남은 시간은 단 72시간. 시계 초침이 한 눈금씩 기울 때마다 그 서류 박스의 저울추도 기울고 있었다. 3일 만에 새로운 투자자를 찾는다는 것은 거의 불가능했다. 고민 끝에 우리는 급전을 구해 착수금을 조금 더 지불하고 다시 삼십 일 연장을 받아냈다. 연장을 받아 놓은 그 다음이 더욱 문제였다. 우리가 포기하기만을 기다리는 팀이 나타난 것이다. 그로 인해 변호사 사무실 문턱을 넘나드는 일이 더욱 잦아졌다.

삼십 대 초반의 젊은 동양인이 기회를 잡기 위해 고뇌하는 모습을 지켜보던 그 백인 변호사가 하루는 말문을 열었다.

"당신이 부럽습니다."

인생을 살 만큼 산, 변호사로서도 꽤 잘 나가던 사람이 한 젊은 동양인에게 던진 말이었다. 벼랑 끝에 서있던 남편은 어리둥절한 표정으로 되물었다.

"모든 것을 가진 당신이 아무것도 가진 것 없는 제가 부러울 게 뭐가 있습니까?"

그러자 그는 아주 진지한 눈빛으로 말했다.

"도전할 수 있는 당신의 그 용기가 부럽습니다. 우리에게는 그런 게 없습니다. 안주하려고만 하지요. 바로 그게 이민자들과 저희들의 차이입니다."

"…"

남편은 잠시 말을 잇지 못했다. 그러자 백인 변호사는 더욱 놀라운 말을 남편에게 했다.

"변호사 비용은 걱정하지 마세요. 만약 이 건이 성사되지 않으면 단 한 푼도 받지 않겠습니다."

"…!"

남편은 울컥한 목소리로 그에게 말했다.

"아뇨. 이 건이 성사되든 않든 비용은 꼭 지불하겠습니다."

그때 우리는 그의 손길에 의해 절벽으로 떨어지지 않고 안전지대에 설 수 있었다. 어둠 속에서 불빛이 되어주고 경제적 빙해에 망연자실해 있던 낯선 젊은이에게 기회의 문을 열어주고자 했던 그의 따스함. 그 온기에 힘입어 마침내 기회의 문이 열렸다.

이제 그의 모습이 흐릿해질 만큼의 시간이 흘렀다. 어느덧 우리가 그의 나이가 되었다. 가끔 삶이 귓불을 후려치는 강풍을 몰고 오기도 했었다. 사막에서 물줄기를 찾아 안간힘을 쓰던 시간도 있었다. 새벽이 올 것 같지 않은 어둠 속에 갇힌 순간과 맞닥뜨리기도 했다. 그럼에도 미소를 지을 수 있는 용기를 잃지 않았던 건, 의식의 한켠에 아직 남아있는 그의 온기가 피워낸 훈훈함 때문이었다.

아는 척

내 인생에서 나와 전혀 상관없는 남자가 하나 있다. 그를 처음 알게 된 것은 퍼런 색깔만 봐도 달러($)로 보일 정도로 궁색했던 유학 시절이었다. 그랬기에 알바 기회가 있으면 나는 이슬이 풀잎에 맺히기도 전에 일어나 집을 나섰고, 건물의 맥박 소리가 거친 숨소리처럼 들리는 밤이라도 일을 개의치 않았다. 이제는 사라져버린 시간 속 그 남자의 그림자를 오랜 기억의 시선으로 소환해본다.

나와 상관없는 그 남자는 호리호리한 키에 콧수염을 소복하게 기르고 있었다. 브라운 컬러에 섞인 희끗희끗한 머리카락과는 달리 콧수염은 온전한 검정이었다. 그의 책상머리에는 수확을 앞둔 과일나무처럼 올망졸망한 아이들의 사진이 여기저기 붙어 있었다. 나이는 대략 두어 살에서부터 사춘기까지 걸쳐 있었다. 사진 속 아이들은 다양한 피부색이었는데, 나는 마치 작은 지구촌을 보고 있는 듯한 느낌이 들었다.

내가 그 남자의 사무실에 들어서는 시간은 매일 일정했다. 아무리 늦게까지 일을 하는 사람일지라도 내가 사무실에 들어서는 시간에는 모두 퇴근을 하고 없었다. 아무도 없는 사무실에서 책상 벽에 붙은 아이들 사진을 바라보며 그 남자는 몇 번이나 결혼을 했을까 하는 상상 속으로 빠져들었다. 사진 속 아이들의 피부와 생김새로 어림잡아 보면 최소한 세 번 정도는 했을 것 같다는 생각이 들었다. 사진 속에서 인자하게 웃고 있는 남자의 이마를 콩 쥐어박아도 보았다.

그러던 어느 날이었다. 나의 관심은 벽에 붙은 사진에서 또 다른 볼거리로 옮겨졌다. 나의 눈길을 사로잡은 건 책상 건너편 테이블 위에 놓인 물건이었다. 그건 오랜 세월의 자락에 끌려온 남성용 흰 고무신이었다. 이제는 고국에서조차도 쉽게 찾아볼 수 없는 흰 고무신이 이역만리 한 백인 남자 사무실에 놓여 있었던 것이다.

그날 이후, 나는 사무실에 들어서면 제일 먼저 그 흰 고무신 위에 앉아 있는 먼지를 털어냈다. 세 명의 부인 가운데 한국 여인이 끼어 있었을지도 모른다는 생각이 들었다. 그런 생각이 드는 순간부터 이름도 얼굴도 알 수 없는 그 여인에 대한 동정심이 피어올랐다. 이제는 잊혀지고 없는 그 여자의 선물이 아니었을까? 버리지 못하고 있는 걸 보면 그 여자에 대한 미련이 조금은 남아 있을 수도 있겠다는 생각이 들었다. 어쩌면 그 여자가 이 남자를 버렸을지도 모른다. 두 사람의 사연이야 어찌 됐든, 나는 그 남자의 눈길이 흰 고무신에 잠시라도 더 머물러주길 바라는 마음으로 팔을 걷어붙였다. 흰 고무신 옆에 수북하게 쌓인 서류들을 갓 이발한 머리처럼 깔끔하게 정리했다. 그의 시선을 더 잘 훔칠 수 있도록 고무신을 대각선으로 놓고 그 일터를 떠났다.

그 후 나의 시간은 뜨겁게 흘렀다. 뜨겁던 열기가 조금은 식혀지고 있던 때, 우연히 한 편의 글을 읽게 되었다. 어떤 남자의 글이었다. 젊은 나이에 전쟁의 폐허 속에서 몸살을 앓고 있던 한국에 나갔다고 적혀 있었다. 길거리에서 부모를 잃고 방황하는 아이들을 보면서 고향으로 돌아가면 꼭 저 아이들을 입양하겠다는 다짐을 한다. 하지만 꿈은 이루어지지 않았다. 대신 그늘지고 구석진 곳에서 신음하는 아이들을 데려다 돌봐주기 시작한다. 그의 집은 아이들로 북적거렸다. 기저귀를 차고 있는 아이에서부터 사춘기에 이르는 아이들까지, 때로는 자기 아이들까지 합쳐 열다섯 명의 아이들과 생활했다는 글이었다.

나는 그 글을 내려놓고 그의 책상에 붙어 있던 아이들의 사진을 다시 하나 하나 떠올려보았다. 하나같이 환한 미소를 짓고 있던 아이들. 나에게 이마를 쥐어 박히면서 약간은 이기적이고 플레이보이 성향이 있는 남자로 각인되었던 사람. 내가 안 척 했던 그는 내가 모르는 사람이었다.

꽃을 받지 못한 이유

〰〰 인생!

그 안에 담긴 맛은 참 여러 가지다. 어쩌랴. 엄마의 태에 안착되기 직전 하늘이 나에게 선물 하나를 고르라고 했을 때 선택한 박스가 바로 내 인생인 것을. 주위에 거의 완벽에 가까운 박스를 가지고 태어난 사람도 없지는 않다. 그런 인생이 행복한가, 그건 아닌 것 같다. 모든 것이 갖추어진 인생에는 무료하고 따분해 질식할 것 같은 표정이 엿보인다. 그러니 인생에서 쓴맛을 조금 맛보았다고 해서 실망할 필요는 없다. 곧 달착지근한 사탕 한 입 깨어 물고 그 행복을 삭이느라 혼자 미소 지을 순간이 올 테니 말이다.

내 상자에는 아주 노오란 레몬을 껍질째 콱 깨물었을 때 느껴지는 쌉쌀하고 시큼한, 결코 기분이 좋을 수만은 없는 맛이 들어 있었다. 그 쌉쌀한 맛을 깨물었던 시기는 거대한 바위 밑에 작고 짧은 지렛대를 놓고 그 바위를 들어 올려보겠다고 안간힘을 쓰던 때였다. 거들어주는 사람도, 응원을 보내는 이도 없는 낯선 땅에서 그 지렛대를 붙들고 버텨내야 했던 시간들. 예기치 못했던 버거운 삶이었다. 누군가 따뜻한 위로 한마디 건네면 설움에 눈물을 쏟을 판이었다. 그러니 외모에 신경 쓸 여유가 어디 있었겠는가. 나의 힘겨운 삶만큼이나 내 모습 또한 후줄근했다.

고국을 떠나올 때 지지고 볶아 빳빳하게 드라이했던 머리는 세상만사 귀찮다는 듯 늘어져 있고, 꿀 먹은 피부 같았던 얼굴은 소쿠리 바닥처럼 거칠어지고, 땀구멍 또한 빗물이라도 받아낼 지경이었다. 어디 그뿐이랴! 패션 감각 제로인 셔츠와 반바지만 주야장천 입고 다녔다. 그러니 하이힐인들 구경이나 했겠는가?

그토록 누추한 삶을 살고 있을 때 그녀를 알게 되었다. 자그마한 키에 검은 머리. 먹구름 사이로 환하게 비추는 햇살 같은 미소. 언어는 달랐지만 친근감이 봄기운을 타고 올라오는 새싹처럼 우리 사이에 자라기 시작했다. 그토록 해사한 얼굴을 하고 있는 그녀와는 달리 그녀의 남편은 표정부터 달랐다. 얼굴은 성형수술에 실패한 듯 늘 경직되어 있었다. 헤어스타일은 단정하다 못해 옴짝달싹 못하는 젖은 낙엽과 같았다. 옷도 늘 정장에 가까운 복장이었다. 그 동네 사람들은 반바지와 셔츠 그리고 신발은 슬리퍼만 있는 줄 알고 살아간 것에 비하면, 그의 외모는 유별나게 단정했다. 스타일뿐만 아니었다. 몇 개 남은 이가 덜렁거리고 있어도 스스럼없이 환하게 웃는 동네 사람들 속에서 그의 치아는 결코 볼 수가 없었다. 그만큼 그는 자신을 주변 사람들로부터 철저히 차별화시키며 살아가고 있었다.

우리가 운영하던 비즈니스는 사는 형편들이 모두 고만고만한 동네에 자리잡고 있었다. 대학원을 졸업하자마자 남편이 파트너와 함께 시작하게 된 비즈니스였다. 남편은 모든 면에서 신중하고 꼼꼼하다. 그런 그가 주위사람들이 고개를 갸웃거릴 결정을 한 것이다. 들리는 소문에 의하면, 파트너는 이미 사업에 한 번 실패를 한 사람이었다고 했다. 그 소문에 대해 남편은 파트너가 실패를 해봤으니 내린 결정이라고 했다. 그의 대답에 나 또한 고개가 갸웃거려졌지만, 그가 꿈꾸는 미래를 봤기에 동참을 하게 되었다.

건물은 마치 몸에 지병을 안고 홀로 살아가는 노인처럼 초췌했다. 그러한 건물에 들어있는 스토어. 어떤 이들은 그 주인도 건물처럼 별다른 희망이 없음으로 마침표를 찍기도 했다. 그런 마침표 소리를 들을 때면 마음이 따끔거리기도 했지만, 뇌염모기에 물린 것도 아니고 해서 한번 슥슥 문지르고 말았다.

건물은 시름시름 앓고 있는 팔십 대인데, 비즈니스는 삼십 대 남성처럼 왕성하게 돌아갔다. 시작한 지 1년 6개월, 우린 우리에게 주어진 인생의 박스에서 또 다른 맛을 하나 골라잡아 앞으로 나아갔다. 맛은 꽤 달착지근했다. 그렇다고 달큼한 맛 속에 쓴맛이 전혀 없었던 건 아니다. 비즈니스가 어느 정도 순항을 하자 남편은 아직 끝내지 못한 공부를 마저 마치라고 내 등을 떠밀었다. 행여 남편의 마음이 바뀔세라 나는 뒤도 돌아보지 않고 아이 셋과 함께 대학 기혼자 기숙사로 거처를 옮겨버렸다.

그렇게 우리가 삶의 징검다리를 훌쩍훌쩍 건너고 있을 때도 미소가 아름다운 그녀는 간간히 흐르는 배경음악처럼 우리 주위에 있었다.

드디어 버벅거리며 하던 공부가 끝났다. 그날 우리 가족은 모두 다른 의미로 즐거워했다. 남편은 이제 따뜻한 밥을 먹을 수 있다는 즐거움이 있었을 것이고, 아이들은 엄마가 저희들과 충분히 놀아줄 수 있을 거라는 기대감에 부풀어 있었을 것이다. 난, 내가 쓴 페이퍼를 보고 한숨짓는 남편의 모습을 더 이상 보지 않아도 된다는 안도감 내지는 해방감으로 기분이 좋았다.

오직 희망만이 존재하는 졸업식 날이 다가왔다. 강당에서 공식적인 모임을 마치고 졸업 가운과 사각모를 쓴 졸업생들이 양쪽으로 늘어선 교수들과 작별 인사를 나누며 서서히 나아갔다.

교수들과 인사를 끝내는 지점에는 가족, 친지, 친구 그리고 지인들이 졸업생들을 축하해주기 위해 손에 레이(하와이식 꽃목걸이)를 가득 들고 양쪽으로 줄지어 서 있었다. 레이를 들고 있다가 안면이 있는 졸업생에게 축하 인사와 함께 걸어주는 것이 하와이식 졸업 전통이다.

그 인파 속에 그녀도 섞여 있었다. 손에 대여섯 개의 레이가 들려 있었다. 그녀는 나를 보자마자 환한 미소와 함께 손을 흔들며 들고 있던 레이 하나를 나에게 걸어주려고 준비를 했다. 그러자 그녀 곁에 있던 남편이 그녀의 옷자락을 슬쩍 잡아당겼다. 순간 그녀는 당황스러움을 감추지 못한 채 어찌할 바를 몰라 했다. 난 그런 그녀를 향해 빈손을 힘차게 흔들어 보였다. 대여섯 개의 레이는 그녀 팔에 그대로 걸려 있었다.

너도 약해지지 마

> 있잖아, 불행하다고 한숨짓지 마
> 햇살과 산들바람은 한쪽 편만 들지 않아
> 꿈은 평등하게 꿀 수 있는 거야
> 나도 괴로운 일 많았지만 살아 있어 좋았어
> 너도 약해지지 마.

100세 할머니가 썼다는 시다. 2010년 99세 나이로 첫 시집을 내어 일본 열도를 열광으로 몰아넣은 장본인 시바타 할머니. 92세부터 시쓰기를 시작했다고 한다. 시에서 말한 것처럼 그녀 인생도 결코 평탄치 않았음을 알 수 있다. 부모 그늘에서 아직 어리광을 피울 나이에 그녀는 앞에 놓인 거친 현실을 헤치고 나아가야만 했다. 미곡상을 하던 집안이 기울어 숙식을 제공하는 식당에 들어가 허드렛일을 거들어야만 했기 때문이다. 이어지는 결혼과 이혼과 재혼 그리고 81세에 남편과 사별한 후 그녀는 독거노인으로 살면서 전통무용을 배웠다. 시를 쓰기 시작한 이유는 거동이 불편해지면서였다.

그녀의 인생이 안락하기만 했더라면 과연 이토록 주옥같은 시를 쓸 수 있었을까. 아닐 것이다. 그녀에게는 결핍이 있었기에 오히려 희망을 꿈꾸는 긍정적인 마음이 생겨났을 것이다. 때로 풍요는 열망을 꺾기도 하고, 결핍은 열망을 부추기기도 하지 않는가.

자신이 진심으로 하고 싶은 일을 하면서 원하는 삶을 살아가는 사람이 과연 몇이나 될까? 대부분의 사람들은 '하고 싶은 것'보다는 '해야 할 일'에 종종거리는 경우가 대부분이다. 어떤 특정한 일을 하고 싶다는 열망, 바로 그 열망이 각 개인에게 주어진 소명이 아닐까 싶다. '하고 싶은 일'을 찾아 나서는 시기에 너무 늦은 때란 없는 것 같다. 시바타 할머니처럼.

황혼을 바라보는 나이에 이십 대 젊은이의 투명한 피부를 보면 나도 저런 때가 있었는데 하는 아쉬움으로 거울을 한 번 더 들여다보지 않을까. 실패를 모르고 승승장구하는 친구나 이웃을 보면서 '나는 왜?' 하고 남몰래 한숨을 몰아쉴 수도 있을 것이다. 그렇다고 좌절할 필요는 없다. 아직 하고 싶은 일을 찾지 못했다 할지라도 혹은 하고 싶은 일을 앞에 놓고도 오직 해야 할 일에 얽매여 하루하루를 종종거리며 살아가고 있더라도 말이다.

이제는 백세를 사는 시대다. 오십 대에 접어든 사람은 어쩌면 오십 년을 더 살아야 할지도 모른다. 미래 오십 년은 지금까지 허둥지둥 달려온 삶과는 많이 다를 것이다. 지나온 시간은 가족에 대한 책임과 의무로, 또는 스스로 짊어진 욕망을 거두어내지 못하고 살아왔다면, 이제는 그 짐들을 얼마쯤은 내려놓고 홀가분하고 여유로워진 몸과 마음으로 하고 싶은 일을 설계할 수 있지 않을까. 세상의 유혹도 빙긋이 웃으며 지나칠 수 있는 시간이 아니겠는가.

중국의 석학 지셴린은 말했다. "우리는 어리둥절한 상태에서 태어나고, 아무것도 모른 채 성장하며, 때로는 영문도 모른 채 요절하기도 하지만, 자신도 모르는 사이에 장수하는 사람도 있다."고. 그가 말한 것처럼, 우리도 영문도 모른 채 어느 날 훌쩍 장막 너머로 떠날 수 있다. 그렇다고 그날이 두려워 미리 겁먹고 하고 싶은 일을 포기할 필요는 없을 것 같다. 그러다 자신도 모르게 장수를 하게 되면, 버려진 용기처럼 혹은 폐품처럼 살아온 그날들이 억울해 어찌 할 것인가.

과거는 미래의 거울이 되기 위해 존재하고, 현재는 미래를 일구어가는 시간이다. 인생에서 한 번쯤 행운을 꿈꾸어보지 않은 사람이 어디 있을까. 운도 나를 찾아와 주길 기다리는 사람보다는 그 운을 찾아 나서는 사람에게 주어지지 않을까?

나도 은근히 한 행운을 기대하며 살아가고 있다. 바로 장수의 운이다. 그 이유는 하고 싶은 일을 뒤늦게 찾았기 때문이다. 그 행운을 얻기 위해 오늘도 노력 중에 있다. 자유롭게 활자를 볼 수 있는 시력을 가지기 위해 아침마다 블루베리를 챙겨 먹고, 당근도 우적우적 씹어 먹는 걸 마다하지 않는다. 어디 그뿐인가. 알통이 울룩불룩한 사람들 사이에서 쇳덩이를 들어 올리며 땀을 삐질삐질 흘리기도 하고, 흐트러지려는 마음을 다잡기 위해 명상과 요가에 집중하는가 하면, 댄스를 겸비한 운동을 따라하느라 뻣뻣한 몸이 삐걱삐걱 요란스럽기 그지없다. 주어진 수명의 연장선 끝점이 어디인지 알 수는 없지만, 오늘도 그 먼 여정을 위해 시바타 할머니의 시를 중얼거리며 마음을 곧추세워보면 어떨까.

있잖아, 불행하다고 한숨짓지 마

햇살과 산들바람은 한쪽 편만 들지 않아

꿈은 평등하게 꿀 수 있는 거야

나도 괴로운 일 많았지만 살아 있어 좋았어

너도 약해지지 마.

타인은 없다

〰〰 마음은 생물이다.

혈기왕성하고 기가 충천한 생물. 그 생물의 움직임은 짓눌리는 무게로 비처럼 수직으로 떨어질 수도, 눈처럼 가벼워 갈팡질팡할 수도, 바람처럼 휘어질 수도 있다.

남편과 나는 장거리여행 준비로 분주했다. 객지생활을 하던 딸에게 가기 위한 채비였다. 고등학교 졸업 후 집을 떠나 이 도시 저 도시로 전전하면서 자신의 삶을 개척해보겠다고 아등바등하던 딸이 약 한 달 정도 집에 와서 쉬겠다고 연락이 왔기 때문이다. 몇 년 동안 대도시에서 빠듯한 생활고로 현실의 실체를 혹독하게 겪더니 거품도 많이 빠지고 꽤 현실적이 되어 있었다.

딸은 대학원을 다니는 동안 뉴욕 맨해튼에서 살았다. 졸업을 하자마자 한 치의 망설임도 없이 시카고로 거처를 옮겼다. 대도시이면서도 월세가 저렴하다는 것이 이유의 전부였다. 이 년

동안 허울 좋은 맨해튼의 실체에 기가 질렸던 모양이다. 교통비를 절약하기 위해 걷고 또 걸어야만 했던 현실. 세계적인 굴지의 기업에서 인턴을 하면서 화려한 브랜드 네임 뒤에서 일어나는 치열함에 맥이 빠지기도 했었나 보다.

그런 딸과 소박한 여행을 꿈꾸며 우리는 비행기 대신 차로 시카고까지 가기로 했다. 소소하지만 짐을 싣고 와야 하는 이유도 있었다. 차로 스무 시간이 걸리는 거리였다. 구릉 따라 벌판 따라 달리다 보니 어느새 시카고 근교에 도착했다. 딸이 살고 있는 곳과는 불과 한 시간 거리였으나 우리는 외곽에 위치한 호텔에서 하룻밤을 묵기로 했다.

그런 결정을 하게 된 이유는 등골이 서늘한 경험 때문이었다. 딸이 애틀랜타 주에서 대학을 다니고 있을 때 비행기가 아닌 차로 그곳을 방문한 적이 있었다. 그즈음은 사람들이 내비게이션이 마치 운전자들의 전지전능한 길잡이라도 되는 듯 호들갑을 떨며 차에 부착하고 다닐 때였다. 우리도 변심한 애인처럼 지도를 버리고 내비게이션을 이용하기로 했다. 목소리도 낭랑한 미스 내비가 가라는 대로만 가면 목적지에 도착할 거라고 철석같이 믿으며 "왼쪽으로 꺾으세요." 하면 왼쪽으로 꺾고, "똑바로 가다가 몇 미터 지점에서 오른쪽으로 꺾으세요." 하면 의심 없이 오른쪽으로 꺾었다. 몸은 장거리 운전으로 녹초가 되어 있었다. 시계를 보니 새벽 1시 30분. 미스 내비가 말한 대로 따라가다 보니 점점 깊은 숲 속으로 들어가고 있었다. 숲이 울창해 별도 보이지 않았다. 오직 미스 내비만 달덩이처럼 환한 얼굴을 하고 우리에게 명령을 내리고 있었다. 칠흑 같은 어둠 속에서 미스 내비가 뿜어내는 빛은 푸르스름했다. 그 빛을 받고 있는 우리 얼굴이 백미러를 통해 보였다. 무섬증으로 온몸이 벼락 맞은 나무처럼 빳빳해져 버렸다. 뭔가 잘못되어가고 있다는 걸 알았지만, 길이 좁아 되돌아나갈 수도 없었다. 미스 내비가 우리가 예약한 호텔이라고 데려다준 곳은 한적한 숲 속 어느 집 앞이었다. 우리는 뒤통수에 총부리가 겨누어진 듯한 서늘함을 느끼며 부랴부랴 차를 돌렸다. 차를 돌리는 우리를 향해 미스 내비는 잘못된 길로 가고 있으니 다시 되돌아가라고 항의를 해댔다. 사유지에 무단출입 시에는 주인이 총을 쏴도 할 말이 없다. 바로 멍멍이 죽음을 당할 수 있다는 사실이다. 그 후, 가능한 한 밤에는 대도시에 들어가지 않는다는 규칙을 나름 정해놓고 있었다.

아침에 일어나 딸이 살고 있는 아파트를 찾아가는데, 어젯밤에 지나지 않은 게 얼마나 다행인지 모른다는 생각으로 가슴을 쓸어내렸다. 우범지역을 지나치고 있었기 때문이다. 시카고의 갱단 세력은 이미 널리 알려진 바 있다. 직접 보지는 못했지만 시카고 갱단에 얽힌 영화에 대한 이야기를 들은 적이 있다. 관광객 일행이 길을 잃고 우범지역에 잘못 들어갔는데 총격전이 벌어져 모두 죽고 단 두 명만 살아남아 탈출을 하게 된다는 내용.

그뿐만이 아니다. 흉흉한 소문은 더 있다. 어떤 아이는 길거리에서 갱단들이 서로 총격전을 벌이는 총탄에 맞아 숨졌다. 누구는 일을 마치고 집으로 돌아가는 길에 달리는 차에서 갱단들끼리 쏘아대는 총알에 맞아 객사했다. 조직원의 눈 밑에 있는 눈물 문신의 숫자는 몇 명을 죽였는지를 의미한다. 언젠가는 조직원 입단식을 치르는 과정에 담력 시험을 위해 권총으로 지나는 행인들을 무차별적으로 쏴댔다는 이야기도 들었다. 소문에는 거품이 있기 마련이지만, 아무리 그렇다 해도 우범지역을 지나치는 난 이미 새가슴이 되어 있었다.

딸이 살고 있는 동네는 이민자들 촌이었다. 아파트는 유럽풍으로 지어져 있었다. 딸이 살고 있는 아파트는 주변에 있는 건물에 비해 최신식으로 리모델링을 한 것 같았다. 3층으로 되어 있는 아파트는 총 여섯 세대가 살도록 되어 있었다. 건물로 들어가는 쪽문, 아파트 문 그리고 개인 아파트 현관문. 집에 한 번 들어가기 위해서 총 세 개의 열쇠를 사용해야 했다!

지역 개발을 위해 여기저기 노력한 흔적이 보이기도 했지만,

이미 소문으로 인해 굳게 닫혀진 내 마음은 그 어떤 열쇠로도 열릴 것 같지 않았다. 마치 그런 소문을 확인해주듯, 첫날밤에 총성이 두어 번 울리더니 앰뷸런스와 경찰 사이렌 소리가 새벽을 흔들어댔다. 놀라 일어나는 사람은 없는 듯했다. 집에서 키우는 멍멍이도 있을 법한데, 그들에게도 총성과 사이렌 소리는 아주 익숙한지 짖지 않았다. 아침에 부석부석한 얼굴로 딸에게 조용히 물었다.

"어젯밤 총성과 함께 사이렌 소리가 요란하더라. 무섭지 않았니?"

그런데 딸의 대답이 더 가관이었다.

"엄마, 자기들(갱단)끼리 싸우는 거라 괜찮아요."

"…!!"

그렇게 하룻밤을 지내고 나니 더더욱 정나미가 떨어져 한시도 그곳에 지체하고 싶지 않았다. 그 유명한 시카고 다운타운도 후딱후딱 보고, 기념사진 몇 장 찰칵찰칵 찍고, 어두워지기 전에 집에 돌아와 은둔자처럼 방에 콕 박혀 짐을 싸기 시작했다.

그 다음날 우리는 아침 일찍부터 부산스럽게 움직였다. 우편으로 보낼 것은 보내고 나머지는 차에 싣고 가기로 했다. 차에 짐을 싣고 있는 우리를 유심히 지켜보고 있는 거뭇거뭇한 두 남자. 사지가 멀쩡해 보이는데 일을 나가지 않고 빈둥거리고 있었다. 꽤 쓸 만한 소파와 침대 프레임을 '공짜'라고 써놨더니 배가 나와 바지가 엉덩이에 걸쳐진 남자가 자기 여동생에게 주겠다며 챙겼다. 그 광경을 목격한 이웃 사람들이 아쉬움을 다시며 다가오더니 또 버릴 것이 없느냐고 물었다. 없다고 해도 계속 우리 주변을 맴돌았다. 그 눈길을 의식하며 핸드백을 차 뒷좌석에 보이지 않게 두었다. 그것도 불안해 옷으로 덮어 두기까지 했다.

이제 곧 출발할 때가 되었다. 차는 겨우 세 사람이 탈 수 있는 공간을 제하고는 짐으로 가득 차 있었다. 앉을 자리를 정리하던 나는 집에서 출발할 때부터 가져 온 과자 박스를 보고 잠시 망설였다. 오면서 먹고 남은 과자가 반 박스는 되어 보였다. 두 남자가 계속 나의 행동을 주시하고 있었다. 한 남자는 폐차를 해도 될 법한 차 운전석에 앉아 있었고, 다른 남자는 운전석 쪽 유리창이 내려진 문에 기댄 채였다. 어쩌다가 눈이 마주쳤다. 그때까지 나는 그들에게 미소는커녕 눈길도 주지 않았었다. 나는 잠시 망설이다가 두 남자에게 다가갔다. 자동차 문에 기대고 서 있는 남자에게 과자 박스를 내밀며 먹겠느냐고 물었다. 남자는 약간 의아하고 놀라운 눈빛으로 나를 쳐다보며 과자 한 개를 꺼내려고 박스에 손을 집어넣었다. 나는 미소를 지으며 박스를 통째 그에게 내밀었다. 남자의 얼굴에 반색의 빛이 흘렀다. 나는 환한 미소를 지으며 말했다. 우리 먹을 것 몇 개 남겨두었으니 당신이 다 가져도 된다고. 그 남자도 모든 치아를 드러내며 과자 박스를 받아들었다.

서로의 눈을 바라보며 웃는 순간, 이곳에 도착한 이래 내 맘 속에 채워져 있던 자물쇠가 철커덕 열리는 소리가 들렸다. 가방을 덮어 두었던 옷도 돌돌 말아 뒤의 공간에 쑤셔 넣어 버렸다. 마지막 정리를 하기 위해 주변에 있는 쓰레기를 주웠다. 그때 옆집 아파트 2층 창문에 행색이 누추한 서너 살짜리 여자 아이와 엄마가 나를 내려다보고 있었다. 색바랜 신문지가 창문의 커튼 역할을 하고 있었다. 그들을 향해 미소를 지어 보였다. 그러자 두 모녀도 환한 미소로 답했다. 내 손에 들려 있는 쓰레기 봉지를 자기 집 쓰레기통에 버리라는 손짓을 해 보였다. 손을 흔들어 고맙다는 표시를 보였다. 그들도 손을 흔들었다. 흔들고 있는 아이와 엄마의 손에는 내가 준 과자가 들려 있었다.

두 개의 망각

고만고만한 아이 셋을 둔 내게는 눈을 뜨고 잠을 자야 할 정도로 바쁘게 보내던 시절이 있었다. 일인 사역. 엄마, 아내, 학생 그리고 비즈니스 오너. 그건 정말 힘든 일들이었다. 나의 두뇌는 24시간을 어떻게 효율적으로 쪼개야 그 네 가지 역을 모두 원활하게 해낼 수 있을까 하는 계산으로 마라톤을 했다. 그렇게 종종거리는 와중에 세계적 관광지 하와이를 친척과 지인들은 물론 동네사람 사촌까지 소개를 받고 찾아왔다. 그렇게 관광객 방문 또한 릴레이를 이어가고 있었다.

그런 생활이었기에 마켓에 가더라도 주차를 하면서부터 어디에 필요한 물건이 놓여 있었는지 기억을 더듬거리곤 했다. 그날도 나는 주차를 하고 허겁지겁 동네 대형마트에 들어서고 있었다. 눈은 앞을 보며 걷고 있었지만, 손은 쇼핑 목록을 적어 놓은 메모를 찾기 위해 작은 가방을 뒤적거렸다. 분명히 넣어두었는데 좀처럼 빨리 잡히지 않아 가방 안을 들여다보는데, 대형마트 문 앞에 두 다리에 얼굴을 묻은 채 웅크리고 있는 거지가 눈에 띄었다. 늘 보던 이였다.

그는 키가 컸다. 앉아 있지 않고 서 있는 날에는 나와 눈이 마주칠 리가 없었다. 나는 그의 옆구리만 보고 지나치기 때문이다. 어쩌다 마주치는 눈은 부리부리하고 선량해 보였다. 다듬으면 문신을 해놓은 듯 반듯할 눈썹이 헝클어져 무성한 숲을 이루고, 뻗어나가던 콧날이 주춤 주저앉아 있었다. 바싹 마른 얼굴이 삼각형에 가까웠다. 살이 골고루 붙어 있다면 꽤나 멋있는 얼굴이었을 거라는 생각도 들었다. 나이는 삼십 대 후반쯤.

그는 다른 어느 곳도 가지 않고 오직 그 자리에 그렇게 앉아 있었다. 오가는 사람들에게 구걸을 하거나 해코지하는 일도 없었다. 한마디로 그는 참으로 온순한 거지였다. 그의 유순함 때문인지 어느 누구도 그를 쫓아내려 하지 않았다. 대형마트 매니저조차도 그를 내버려 두었다.

나는 그를 지나 종종걸음으로 샌드위치 코너로 향했다. 샌드위치를 집어드는 순간 구겨진 종잇장처럼 앉아 있는 그의 모습이 눈앞을 스치고 지나갔다. 그의 모습이 허기져 보였던 것일까? 난 샌드위치 한 개를 더 샀다.

지나왔던 문을 통해 다시 나가니 그가 고개를 들고 초점 없는 눈빛을 허공에 매어두고 있었다. 난 샌드위치 한 개를 꺼내어 그에게 건넸다. 아! 그 순간, 가슴이 먹먹해지고 말았다! 샌드위치를 받아드는 그의 눈빛은 마치 떨어지기 직전의 운석처럼 빛났다. 해부학 그림에서 보듯 뼈 하나하나가 톡톡 튀어나온 손으로 샌드위치를 덥석 받아들면서 내보이는 겸손한 몸짓과 감사의 표정. 난 그에게 샌드위치를 건네고 천천히 아주 천천히 주차장에 있는 내 차로 향했다. 그리고 이글이글 타오르는 열대의 폭염 속에 서있는 한 오만한 그림자를 보고 있었다. 현재 자신이 소유하고 있는 모든 것은 당연히 가져야 하는 것들이라고 단정 지으며 살아온 그 그림자.

　그는 원래 아주 잘 나가던 NFL 미식축구 선수였다고 했다. 일곱 개의 하와이 섬 중에 호놀룰루가 있는 오하우 섬의 한 귀퉁이에 붙어 있는 작은 마을에서 난 영웅이었으니 얼마나 대단했으랴. 만인이 부러워하는 연봉을 받고, 눈부신 스포트라이트를 받으며 선수 생활을 하고 있었다. 그러던 어느 날, 그는 경기 도중에 넘어져 뇌진탕을 일으키고 말았다. 결국 일어나지 못한 그는 망각의 삶을 살아가고 있었던 것이다. 오가는 사람들의 발걸음에서 그는 군중의 환호를 듣고, 쏟아지는 쇼핑센터의 불빛 아래서 옛 영광을 실낱처럼 붙들고 있었던 건 아닐까.

그는 망각 속에서 살아 있고, 우리는 살아 있으면서 망각 속에 갇혀 있는 건 아닌지.

야생의 세계

〰〰 그들에게는 과거가 없다. 삶의 과거가 아닌 직업의 과거가 없다. 치과의사였던 사람이 베이커리를 운영하고, 법대를 나왔음에도 가구회사에서 침대 매트리스 만드는 일에 종사하는 경우도 있다.

물론 직업에 귀천이 없다고는 하지만, 과거와 연결되지 않는 직업을 가진다는 것은 힘겨운 싸움이다. 마치 연어가 산란기 때 태어난 곳을 향해 회귀하는 과정처럼. 고난은 피할 수 없는 운명의 다리처럼 놓여 있고, 위험 또한 요소요소에 잠복해 있다. 피부색에 상관없이 이민자들은 모두 비슷비슷한 길을 가고 있다. 누군가는 먼저 그 길을 갔고, 어떤 이들은 이제야 그 길을 가고, 또 다른 이들은 앞으로 그 길을 가게 될 것이다.

이민자들은 홀로 가고 있다. 그러면서도 그 길은 함께 가는 길이기도 하다. 본인이 고용주라도 그 길은 특별히 다르지 않다. 사업체에 문제가 생기거나 다급한 상황이 발생하면 누가 도움을 줄 것인가? 고국에 있는 가족이나 친지들이 달려와 줄까? 아니다. 바로 함께 일하는 직원들일 것이다. 평상시에 그들을 가족처럼 대하지 않으면 그들 역시 오너를 돌봐주지 않음은 물론이다. 오너가 가족처럼 대해도 오너를 가족처럼 대하지 않는 직원이 있는 것 또한 당연하다. 역으로 생각해보면, 가족이면서도 가족처럼 살지 않는 경우도 얼마든지 있다. 인간관계에서 오차의 범위는 어디에든 있는 법이다.

고용주와 고용인의 관계는 노동을 하고 노동에 대한 대가를 지불하는 지극히 사막적인 관계이지만, 인간적 관계를 통해 사막을 숲으로 일구면 가장 큰 혜택은 오너가 보게 될 것이다. 만약 직원이 어쩔 수 없는 사정으로 일자리를 떠나게 되더라도, 오너의 성향을 잘 파악하고 있는 직원은 가장 적절한 사람을 소개해주게 된다. 이 얼마나 효과적인 방법인가! 그렇게 되면 '직원 구함'이라는 광고를 끊임없이 붙일 필요가 없게 된다. 그리고 이직률이 잦지 않아 좋다. 직원 한 사람이 바뀔 때마다 눈에 보이지 않는 비용이나 손실이 만만치 않다는 건 오너라면 모두 알고 있을 것이다.

나의 인생에서 가장 짧은 직장 생활을 한 적이 있다. 딱 3일. 그 3일은 나의 미래 30년을 바꿔놓았다. 스스로 존경 받기 위한 한 오녀의 모습이 지금도 눈에 생생하다. 남편이 대학원에 진학을 하게 되면서 나는 어쩔 수 없이 휴학을 해야 했다. 학교에 적을 두고 있으면 합법적으로 학교에서 일을 할 수가 있던 80년대였다. 휴학을 하고 나니 학교에 적이 없어 일을 할 수 없게 되었다. 전기료를 아끼기 위해 세 개의 전구 중에 한 개만 켜놓은 희미한 불빛 아래에 앉아 있을 수만은 없었다. 무엇이든 해야겠다는 생각으로 남편이 학교에 간 틈에 몰래 알바를 알아보았다. 아는 사람도 없던 처지라 무조건 한국 신문을 뒤적거렸다. 한 고급 한식 레스토랑 전화번호가 눈에 들어왔다. 머뭇거릴 상황이 아니어 바로 수화기를 들었다. 약속이 잡혔다. 체류 신분에 대해선 언급하지 않았다. 그쪽에서도 묻지 않았다. 매니저는 나이가 오십 줄에 접어든 젓가락처럼 마른 남자였다. 그는 앞에 앉아 있는 나를 요리조리 뜯어보았다. 가는 손목을 유심히 보는 듯하였다. 음식점에서 일한 경력 '무'라는 나의 대답이 미덥지 않았던 모양이다.

"학교에서 전공은?"

"언어…"

"그럼 졸업하면 선생 되겠네?"

"…어…아 …마 …도….."

"그럼 공부나 계속해요. 여기 일 힘들어요."

매니저는 계속 가느다란 내 목을 주시하며 말했다. 당장 애기 우유 값을 벌어야 했던 나는 다급해졌다. 공원에 놀러 나온 사람들 말에 의하면 식당 웨이트리스가 돈을 짭짤하게 번다고 했다. 그래서 용기를 냈는데… 기회가 날아가게 생겼다. 나는 매니저의 눈을 똑바로 쳐다보며 사생결단이라도 내겠다는 사람처럼 매달렸다.

"할 수 있어요. 뭐든… 시켜만 주세요."

매니저는 그래도 확신이 서지 않는다는 떨떠름한 표정으로 말했다.

"그럼 일단 해보세요. 그리고 다시 이야기 합시다."

내가 아무리 다부지게 말해도 그는 이런 곳에서 배겨낼 수 있는 사람인지 아닌지 척 보면 안다는 눈빛이었다.

다음 날부터 나는 냅킨을 정리하고, 수저와 젓가락을 챙기고, 테이블 커버를 교체하는 등 대체로 쉬운 일을 맡게 되었다. 저녁 시간은 그야말로 전쟁터를 방불케 했다. 웨이트리스들의 눈빛은 먹이를 조준하고 있는 동물처럼 오직 손님들에게 쏠려 있었고, 버스보이들은 손님이 일어선 자리의 그릇을 치우느라 구슬땀을 흘렸다. 나는 버스보이들이 그릇을 치우고 난 후에 잽싸게 테이블 커버를 바꾸고 다음 손님이 앉도록 세팅을 했다. 다섯 시간 동안 단 한순간도 한눈을 팔 수가 없었다. 물 한 모금 마실 틈조차 주어지지 않았다. 주어진다 해도 몸을 사려야할 판이었다. 통통한 몸집에 부리부리한 눈을 가진 주인 남자가 한쪽 코너에서 종업원들의 일거수일투족을 감시원처럼 주시하고 있었기 때문이다. 매와 같은 눈빛을 앞에 두고 어찌 편안하게 동료와 이야기를 나눌 수 있을 것이며, 물을 마실 수 있겠는가? 밤 열 시가 되어서야 레스토랑 안에 꽉 찼던 기압이 느슨해졌다.

그런데 갑자기 웨이트리스들이 뿌루퉁한 표정으로 모두 주방으로 불려 들어갔다. 들어가면서 "도대체 누가 그런 거야?"하고 짜증스러운 표정들이었다. 나도 들어가야 하나 말아야 하나 망설이고 있는데 마지막으로 들어가는 웨이트리스가 "너는그냥 여기 있어." 했다. 영문도 모른 채 나는 그들이 들어가는주방 쪽을 홀에서 지켜만 보았다. 주방에 일렬로 늘어선 대여섯 명의 웨이트리스들은 고개를 떨어뜨린 채, 혹은 먼 산을 바라보는 자세로, 또는 고개는 들고 있지만 눈빛은 아래로 내리깐 채로 서 있었다. 그녀들 중 그 누구도 앞에서 눈을 부라리고서 있는 살찐 주인 남자를 똑바로 쳐다보지 않았다. 그런 그녀들을 향해 주인은 삿대질을 하면서 소리를 질렀다.

"너희들 눈에 사장이 개똥으로 보이지? 감히 사장한테 불판을 가져오라고 시켜?"

이유인즉, 웨이트리스들 중 누군가가 주인을 향해 고기 굽는 판을 가져오라고 지시를 했다는 것이다. 사장을 개똥으로 알았기에 그런 심부름을 시켰다는 주인의 분노였다. 너무 바쁜 나머지 서 있는 사람이 사장인지 종업원인지 분간도 하지 못하고 누군가가 불판을 가져오라고 지시를 했던 모양이다.

그날 밤, 나는 밤이 깨어 있는 와이키키 해변을 지나치는 버스에 올랐다. 탈의실에서 유니폼을 갈아입으며 오너에 대해 비웃는 듯 비꼬는 듯 이죽거리는 소리가 가로등 사이로 흩어지는 걸 바라보며 쇳덩이와 같은 무거운 잠에 고개가 푹 떨구어졌다.

부끄러운 자화상

〰〰〰 인생의 한 시점을 떠올린다는 건 즐거운 일일 수도 있지만, 껄끄럽거나 아픔일 때도 있다. 누구에게나 즐겁고, 아프고, 부끄러운 시간이 있게 마련이지 않은가. 아픔은 외부로부터 가해지는 충격이지만 부끄러움은 스스로를 보는 순간에 찾아온다. 외부로부터의 충격은 시간과 함께 무뎌지고 빛바랠 수 있으나, 스스로 바라본 부끄러운 빛은 쉽게 사라지지 않는다.

풋풋함이 살아있는 이십 대는 이타심이 부족할 수 있고, 스스로의 길을 찾느라 매몰되어 있는 삼십 대는 주위에 무관심하기 십상이다. 사십 대는 남의 성취가 크게 보여 다급해지기 쉽고, 오십 대는 스스로의 한계에 직면해 서글퍼지려는 시간이다. 이렇듯 시간은 인생의 다양한 프레임을 만들어내기도 한다. 물론 모두가 그렇다는 건 아니다.

나에게도 이십 대가 있었다. 그때 나는 풋풋한 잎에 시야가 가려 상황판단이 재빠르지 못하고 어리숙하였음을 고백하지 않을 수 없다. 지나온 길을 뒤돌아보니 얼룩진 옷처럼 부끄러움이 여기저기 묻어 있다. 눌어붙은 얼룩에 한 영상이 어른거린다.

어느 해 십이월이었다. 십이월이 되면 사람들은 시선 한번 마주치지 않았던 이웃에게도 건네줄 뭔가를 뒤적거린다. 누군가와 조건 없이 무언가를 나눈다는 건 축복일 것이다. 스스로 인식을 하든 못하든.

홀로 일어서기에는 아직 바동거리며 힘겨운 나이, 이십대. 남편과 나 역시 물질적 결핍에 시달렸다. 그러기에 돈을 주고 크리스마스트리를 산다는 건 사치였다. 80년대 당시 유학생들은 살림 장만을 돈 들이지 않고 할 수 있는 방법을 용케도 꿰뚫고 있었다. 살 만한 동네를 슬슬 돌다가 집 앞에 놓인 재활용 가구나 용품에 'free'라는 글자가 보이면 챙기는 방법이었다. 처음엔 무작위로 챙긴다. 어느 정도 살림이 채워지면 브랜드 네임을 고르기 시작한다. 그것도 나름 노하우라고 어느 동네에 가면 어떤 물건들이 밖에 나와 있는지에 대한 깨알 같은 정보를 처음부터 서로 공유하는 건 아니다. 본인들이 명품인지 아닌지를 가리기 시작할 때쯤이면 비로소 정보 공유가 이루어진다.

그런 상황이니 어찌 맘 놓고 크리스마스트리를 살 수 있었겠는가? 그런데 그해 십이월에는 운 좋게 트리가 우리 손에 들어왔다! 크기도 어른 키만큼 컸다! 아이와 난 들뜬 맘으로 색종이를 잘라 트리를 장식했다. 난 우유 수십 통과 맞먹는 트리가 공짜로 생겼다는 데 흥분했고, 아이는 그 트리 밑에 쌓이게 될 산타의 선물을 기대하며 들떠 있었다. 짜릿한 감정을 맛보고 있던 우리에게 딱 한 가지 아쉬운 점이 있었다면 바로 Snow!!! 흰 눈이 없었다. 쨍쨍한 햇빛만 있었다.

눈이 펑펑 쏟아지는 지역에 사는 산타는 즐거워 보인다. 그와는 달리 열대지방의 산타는 죽을 맛이다. 땡볕 기온에도 상관없이 방울이 달린 빨간 고깔모자를 쓰고 코에는 수염을 붙인다. 산타의 배는 불룩해야 한다. 배가 홀쭉한 산타의 모습은 매력 제로이기 때문이다. 열대지방 산타는 땀을 뻘뻘 흘리며 고통스러운 미소를 지을 수밖에! 그럼에도 아이들은 산타의 무릎에 안겨 사진을 찍기 위해 줄을 선다. 비뚤비뚤한 글씨로 선물 목록도 작성한다. 그해에는 우리 아이도 산타에게 보낼 아주 긴 선물 목록을 작성하기에 바빴다.

크리스마스 분위기가 더위 속에서 한창 무르익어가던 중이었다. 불빛도 흐릿한 아파트의 문을 누군가가 두드렸다. 창문을 통해 보니 안면이 있는 백인 아저씨였다. 한쪽 어깨에는 꽤 무겁게 느껴지는 비닐에 꽁꽁 쌓인 뭔가를 메고 있었다. 무겁겠다는 생각에 얼른 문을 열었다. 그는 어깨에 올려진 상어 몸통 같은 그 시퍼런 것을 문 앞에 털썩 부렸다. 크지 않은 눈을 동그랗게 뜬 나를 보고 그는 씨익 웃었다. 그 미소는 뿌듯한 일을 성취한 아이의 것이었다. 그건 크리스마스트리였다!

아마도 그는 지난해에 우리 집 거실에 장식된 크리스마스트리가 없었던 걸 기억한 모양이었다. 크리스마스트리 없이 지낸 어린 눈망울이 무척이나 밟혔던 것 같다. 일 년 내내 크리스마스가 다가오길 그는 얼마나 기다렸을까? 그런 그를 향해 나는 제어 장치 없이 튀어나가는 스프링처럼 한마디를 뱉고 말았다.

"어머, 우리 트리 있는데…."

그의 표정에서 뿌듯함이 실망으로 돌아서는 찰나가 잡혔다. 그럼에도 나는 내가 순간적으로 뱉은 말을 주워 담지 못하고 있었다. 그는 상어 몸통을 풀 죽은 어깨에 다시 들쳐 멨다.

이맘때가 되면, 나는 상어 몸통을 어깨에 메고 아파트 코너를 돌아서던 그의 뒷모습을 떠올리며 얼굴을 붉힌다.

말이란 상대를 헤아리는 생각의 필터를 거쳐야 한다는 사실을. 말은 소리로 대변하는 '나'임을 미리 알았더라면….

함께 소풍을 떠난 그들

〰〰〰 그날 나는 배웅을 나서는 길이었다. 어느 시인은 죽음을 "이 세상 소풍 끝나는 날"이라고 표현했는데, 옆집 할아버지도 인생 소풍을 끝낸 것이다. 가까이서 바라본 그분의 삶은 참으로 소박하고 즐거운 소풍 같았다. 사람이 꽃보다 아름답다고 했던가? 꽃의 아름다움은 순간에서 나오지만, 사람의 아름다움은 영혼의 울림에서 비롯되는 것 같다. 옆집 할아버지는 분명 꽃보다 아름다운 남자였다.

그분을 만난 건, 처음 정착했던 낯선 땅이 익숙해질 무렵 다시 낯선 곳을 향해 떠나던 때였다. '자식 교육을 위하여'라는 미명 아래 우리는 살던 곳을 떠나 다른 지역으로 이사를 왔다. 새로운 곳은 늘 '낯섦'이라는 단어를 안겨준다. 짐을 풀고 나니, 눈매가 서글서글하고 풍채가 당당한 할아버지가 우리를 보고 환하게 웃었다. 그 웃음이 어찌나 선하고 정겹던지 나도 히히 웃으며 다가갔다. 그 할아버지 가족은 4대까지 넝쿨을 치며 주변에서 살고 있었다. 그 가족 모두가 할아버지처럼 순박하고 맑은 미소와 함께 봉사정신 또한 투철하여 동네 터줏대감 역할을 톡톡히 했다.

할아버지의 유머는 일품이었다. 어느 날, 할머니는 할아버지에게 퇴근길에 바닐라 아이스크림을 사오라고 당부했다. 할아버지는 명쾌하고 밝은 톤으로 대답했다. 저녁 준비가 거의 다 끝나 가는데도 할아버지는 집에 돌아오지 않았다. 사무실 일이 예상치 않게 바쁜 모양이라고 생각했다. 가족들을 위해 특별 디저트를 준비 중이던 할머니는 가장 중요한 아이스크림이 도착하지 않아 애를 끓이고 있을 때 할아버지가 현관문을 들어섰다. 할머니는 할아버지의 빈손에 눈길을 주었다. 순간 할아버지는 아차 싶었다. 멋쩍은 표정으로 할머니를 향해 외쳤다. "이런! 집에 오는 사이에 아이스크림이 벌써 다 녹아버렸군. 여보, 잠시만 기다려. 내 얼른 가서 다시 사올 게!" 말을 마치고 후다닥 뒤돌아나가는 남편의 뒷모습을 보고, 기다리면서 끓어올랐던 짜증이 아이스크림처럼 녹고 말았다는 일화다. 그토록 멋지고 유쾌한 소풍을 즐기시던 할아버지. 낯선 이들에게도 낯설지 않게 대하던 미소.

장례식장에 들어서자 그분의 미소를 아쉬워하는 사람들이

많이 모여 있었다. 가족을 대표하는 딸과 아들들 그리고 쌍둥이 손주가 단상에 앉아 있었고, 할아버지의 미소와 같이 활짝 핀 꽃으로 장식된 관이 단상 아래에 놓여 있었다. 할아버지를 추억하는 이야기와 노래가 이어지고, 마지막으로 쌍둥이 손주가 할아버지의 생애와 마지막 가는 길에서 일어났던 일들을 들려주었다.

할아버지는 주말 농장을 가지고 있었다. 그곳에는 그와 함께하는 여러 동물들이 있었다. 그 중에서도 특히 그가 애지중지하는 칠면조가 있었다. 할아버지가 식사를 하면 식탁 옆에서 쭈그리고 앉아 있기도 하고 함께 산책을 나가기도 했다. 그렇게 그들은 긴 여정을 함께 즐겼다. 그러던 와중에 할아버지는 심장 수술을 받게 되었다. 수술 결과가 좋았기에 아무도 할아버지의 회복을 의심치 않았다.

그런데 건강하기만 했던 칠면조가 갑자기 소풍을 끝내고 말았다. 가족들은 할아버지의 상심을 염려하여 그 사실을 알리지 않았다. 퇴원 하루 전, 할아버지의 상태가 갑자기 악화되었다. 하루를 채 넘기지 못하고 할아버지 역시 인생 소풍을 마쳤다. 칠면조가 할아버지 곁을 떠난 지 삼일 만이었다. 아마도 칠면조와 할아버지는 약속을 했던 모양이다. 또 다른 곳으로 함께 소풍을 떠나자고.

소통은 같은 언어를 사용해야 할 이유는 없나보다.

누군가는 걸었던

≋   이민 혹은 이민자라는 말을 들으면 왠지 가슴이 싸해진다. 그런 느낌이 드는 이유는 어쩌면 '이민'이라는 단어 속에 이별이 포함되어 있어서인지도 모른다. 낯선 땅의 기운에 의지해 살아가고 있는 그들은, 면역되지 않는 이별의 아픔을 감내해야 하는 숙명을 안고 살아가기 때문일 것이다.

모든 것이 익숙한 품을 떠나오던 날 그들은 무슨 생각을 했을까? 더 잘 살아보겠다는 미래에 대한 열망. 꿈을 이루고 싶은 기회를 향한 소망. 자식 교육 한번 제대로 시켜보겠다는 의욕?

이십일 세기를 살아가고 있는 사람들은 이민에 대한 새로운 시각을 가지고 있을 것이다. 하지만 자동차가 보행자를 존중하기보다는 보행자가 자동차를 피해 다니던 칠팔십 년대의 고국에서 이민 짐 보따리를 쌌던 사람들의 자세는 지금과 무척 달랐을 것이다. 새로운 땅에서 시작하려면 그곳 음식 문화에 익숙해져야 한다며 식탁에서 된장국과 김치를 치우고 흔하지 않은 토스트와 우유 한 잔으로 아침을 대신하는 연습에 들어가기도 했다. 그토록 유난을 떨며 선진국 식생활을 흉내 내던 열정은 낯선 땅에 도착하는 순간 사라지고, 꼬롬한 된장국 한 그릇 들이키고 싶은 마음이 간절해진다. English 900에 나오는 문장에 빨간 밑줄까지 두 겹 세 겹 그어가면서 암기했던 영어회화는 말짱 도루묵이 되어버리고, 뻑뻑한 빵이 지겨워지고 버터 냄새가 니글거려 머리가 아파온다. 이제 그런 시간을 견딘 그들의 머리는 반백이 되어 있고, 얼굴에는 지워지지 않는 골이 패여 있다. 그 골을 따라 먼지와도 같은 과거라는 시간이 고스란히 쌓여 있다.

제법 엘리트에 속했던 자신의 모습은 온 데 간 데 없다. 아들에게도 'you' 아버지에게도 'you'로 통하는 언어에 부아가 치밀 때도 있다. 머릿속은 오만한 지식으로 가득 차 있는데, 그것을 대변해야 할 혀는 오리무중에 빠져 있다. 어쩌다가 내뱉은 어설픈 한마디는 혀끝에 걸려 버둥거린다. 자연스럽게 오그라져야 할 혀가 그러지 않아 민망해지고 만다. 동료에게 맥도날드에 가서 점심을 사겠다고 하는데, 상대는 '맥도날드'라는 발음을 이해하지 못한다. 결국 맥도날드 대신에 대표 상품인 '빅맥'을 외치자 그제야 이해를 한다.

그런 시큼한 상황에서 키우는 자식들은 부모의 비틀거리는 모습에도 아랑곳하지 않고 쑥쑥 자란다. 자식이 친구들과 함께 매끄러운 영어를 구사하며 놀고 있는 모습을 보노라면 속이 다 후련해진다. 오직 공부만이 세상으로 당당히 나아갈 수 있는 유일한 통로인 듯 자식을 유인한다. 자식 역시 별 이의 없이 부모의 요구에 응해준다. 늦은 밤까지 택시를 몰아도, 식당에 온 손님들이 하대를 해도, 빨래방 세탁기에서 동전을 쓸어 담으면서도, 구겨진 옷을 뜨거운 다리미로 다림질을 하면서도 당당하기만 하다. 머지않아 세상에 나아가 호령할 자식이 있기 때문이다. '내 자식이 얼마나 공부를 잘 하는데, 대통령상도 받았다고. 영어는 물론이고 수학은 전교 일등이야. 전국수학경시대회는 물론이고 토론대회에도 나갔지. 토론대회는 영어만 잘 한다고 되는 게 아니거든. 논리적인 머리와 순발력도 있어야 해. 그 대회에서도 휩쓸었다는 거 아냐. 뭐, 이만하면 성공한 거지.' 하는 마음으로 모든 것을 참아내고 이겨낸다.

뿌듯한 보람 속에 이민이란 항해를 만끽하고 있던 어느 날, 노란 머리통 하나가 이 방에서 저 방으로 왔다 갔다 하다가 화장실로 쏙 들어간다. 집에 노란 강아지를 키우지 않던 터라 잠시 헷갈린다. 다시 화장실에서 쑥 나오는 노란 머리통을 보니, 아뿔싸! 자식 놈이다! 순간 관자놀이가 씰룩거린다. 영특하니 공부도 잘 하고 부모 손에서 말랑말랑하게 놀던 녀석이었다. 미국에서 태어나지 않았으니 미국 대통령은 못해 먹더라도 최소한 유명기업 CEO 정도는 되지 않을까 상상하며 내심 뒷목을 빳빳하게 세우기도 했다. 그런데 '어느 날 갑자기'였다. 오만 가지 무스와 헤어스프레이로 머리를 벼락 맞은 꺼먼 나무처럼 하고 다니더니 이제는 노오란 강아지 털을 하고 다닌다. 남의 집 자식들이 총천연색으로 염색을 하고, 두세 개 귀걸이를 하고 바지를 엉덩이에 걸치고 다니는 모습에 혀를 끌끌 차지 않았던가. 어른을 보고 인사도 똑바로 하지 못한 누구네 자식에게 은근히 멸시의 눈빛을 보내지 않았던가. 허탈해지기 시작한다. 스스로를 안주시킬 수 있는 그 모든 걸 뒤로 하고 여기까지 와 누굴 위해 이 생고생을 하고 있는데, 하는 한탄이 굴뚝 연기처럼 뿜어져 나온다. 그러다가 결국 울화통이 터지고 만다.

"이 눔의 자식! 내가 누굴 위해 이 고생을 하고 있는데!"

돌아오는 메아리는 더욱 어처구니가 없다.

"누가 맨날 그렇게 일만 하래요?"

아들의 횡포와 같은 대답에 그만 다리가 후들거려 털썩 주저앉고 싶어진다. 누굴 놀 줄 몰라서 이렇게 일만 한단 말인가?

상실감에 빠져든다. 그런 부모의 상실감을 아는지 모르는지 자식은 'I don't care(상관없다).'라는 태도로 몇 시간씩 휴대폰을 붙들고 친구와 낄낄댄다. 부모와는 단 일 분도 대화를 하려들지 않는 태도가 얄미워 전화 좀 그만 하라고 눈을 치켜뜨면, "OK, I know!" 하면서 문을 탕 닫고 방으로 들어가 버린다.

사사건건 자식과 부딪치는 일에 대해 남들 앞에서는 입도 뻥 긋 못한다. 자식 잘 키워서 어째 보겠다는 마음도 없어진 지 오래다. 그런 자식이 대학을 가면서 이제야 독립을 하게 되었다고 즐거워한다. 매일 휴대폰을 열어봐도 부재중 콜은커녕 남겨진 메시지도 없다. 부모는 하루에 열 번도 더 눈빛으로는 자식의 휴대폰 번호를 누른다. 무소식이 희소식이려니 하고 생각을 다독인다. 어쩌다 휴대폰이 울려 들뜬 마음으로 받는다. 그런데 자식은 달랑 뭐 하나 보내달라는 말뿐이다. 바쁘다며 일방적으로 끊어버린 신호음이 뚜~우~ 하고 울리다가 삑삑거린다.

상실감에 빠져 거울 속 자신의 모습을 바라본다. 누군가의 이미지가 그곳에 있다. 꼭 너 닮은 자식 하나 낳아 키워보라던 음성이 귓가에 윙윙거린다. 모든 부모는 다르면서도 같은 길을 가고 있는 건가?

제3부

인생은

머물지 않는

바람

인생은 머물지 않는 바람

인생은 바람이다. 봄바람에 나뭇가지에서 싹이 트듯 인생도 그렇게 바람과 남남일 수 없다. 어린잎은 무심코 떨어지는 소나기에도 멍이 들고, 별 생각 없이 스치는 바람에도 파르르 떤다. 떨고 있는 잎을 안아주고 멍든 자국 가만가만 닦아주는 햇빛에 어린잎은 다시 미소를 찾는다. 잎이 바람을 피할 수 없듯, 인생도 시련과 역경을 피해 갈 수 없다.

시장에서 건어물과 고춧가루를 좌판에 올려놓고 팔던 아주머니가 있었다. 그 재래식 시장에서 인생 대부분을 보낸지라 그녀의 자리에는 널찍하고 눈과 비를 피할 수 있는 판자 지붕도 있었다. 나이 오십 중반을 넘어선 얼굴에는 꼭 그어져야 할 굵은 주름만 있을 뿐 마음의 고단함으로 생겨난 주름은 없었다. 아무리 까다로운 손님일지라도 그녀 앞에서는 공손할 수밖에 없는 품위가 흐르고 있었다. 그녀는 누구에게도 말을 가볍게 하지 않았다. 살이 적당히 오른 얼굴에 도톰한 귓불은 마치 그녀의 생각을 잘 조정해주고 있는 듯 보였다. 얼굴에는 미소의 줄기가 늘 어려 있었다.

그녀는 세월의 바람에도 흔들림 없이 비녀로 쪽을 찌고 살았다. 약간 동그스름한 얼굴에 깔끔하게 빗어 넘긴 반곱슬머리는 흐트러짐이 없었다. 그런 그녀의 반듯한 외모 때문이었을까, 그녀가 파는 상품에도 신뢰가 담겨 있었다. 좌판 위에는 종류별 멸치가 대, 중, 소로 구별된 나무 됫박에 산봉우리처럼 쌓여 있었다. 그렇게 쌓여 있는 멸치는 유난히 맑은 물에서 잡혀온 듯 신선한 빛이 자르르 흐르고 있었다.

그 옆에는 낮잠을 자다 나온 듯 머리가 부스스하고 얼굴에는 자신의 성깔로 인해 엉킨 주름으로 뒤덮인 여자가 똑같은 상품을 팔고 있었다. 아마도 장사가 잘 되는 이의 옆에서 저절로 굴러들어오는 손님들을 가로챌 수 있다는 속셈도 없지 않았을 것이다. 그녀는 후덕해 보이는 아주머니에게 오는 손님들을 향해 노골적 호객행위를 주저하지 않았다. 후덕한 아주머니의 물건을 사려고 오는 손님을 향해 자신의 멸치를 들이밀곤 했기 때문이다. 그런 그녀의 행태에도 아주머니는 눈살 한번 찌푸리지 않고 자신의 고객에게 정성을 다했다.

그럴 때면 주름투성이인 여자는 입을 삐죽거리며 그 아주머니가 잘난 체한다고 생각하는 것 같았다. 여자의 눈빛이 그걸 말하고 있었다. 여자의 멸치는 눈빛도 흐리멍덩하고 생김도 바르지 못했다. 그렇게 못생긴 멸치들이 양은접시 위에 볼품없이 올려져 있었다. 그 양은접시에 올려진 멸치의 부피가 꽤 많아 보였지만, 실은 뚜껑 밑바닥이 복어의 배처럼 불룩 올라와 있어 양이 많아 보일 뿐이었다. 두 여인의 좌판에 놓인 멸치의 등급은 굳이 말하지 않아도 확연한 차이가 나 보였다. 그래서인지 그 아주머니의 좌판 앞에는 늘 사람들의 발길이 끊이지 않았다.

그 아주머니에게는 예닐곱 살 난 사내아이가 종종 찾아와 품에 안기곤 했다. 그 아이는 바로 건너편에서 채소를 팔고 있는 아낙의 막내아들이었다. 그 아이가 아주머니를 큰엄마라고 불렀다. 그 아이를 향한 큰엄마의 눈빛은 귀한 보물을 보는 듯했다. 그 아이의 아버지는 그 큰엄마의 남편이었다.

그녀에게는 자식이 없었다. 남편은 후손을 얻기 위해 그 아이의 엄마를 택했다. 서로 마주 보는 곳에서 남편은 작은댁을 들락거렸다. 남편이 신발을 벗고 작은댁의 방문에 올라서는 뒷모습을 바라봐야 하는 부인의 마음은 어땠을까. 자신이 불임이라는 강풍에 맞았을 때 그 아픔 또 어떠했을까. 괜찮다고 남편의 등을 떠밀어주어야만 했던 그 심정은 밀려드는 쓰나미에 산산조각이 나진 않았을까.

그런 상황에서도 그녀는 바람 분 다음 날의 모습이었다. 바람 분 다음 날의 하늘은 침착하기 그지없다. 단장하고 나선 단아한 모습이다. 구름도 얼씬거리지 않는다. 나뭇가지에 앉아 있는 새들 또한 그 평온함에 도취되어 날기를 주저한다.

사는 동안 단 한 점의 바람도 맞지 않았으리라 생각해온 그녀의 뒷이야기를 들은 후, 그분의 성정에 대한 생각을 하게 되었다. 인생의 어느 골목에서 강풍으로 인해 찢겨진 옷자락을 여며 잡으며, 망망대해에서 표류하고 있는 듯한 상황에서도, 불빛도 없는 깜깜한 터널에서 그 끝이 어딘지도 모르고 더듬거리며 앞으로 나아갈 때에도, 허기지고 지친 내 앞에 놓인 유혹의 성찬 앞에서도 그녀를 생각했다. 바람에 대한 분노나 원망을 간직하지 않고 떠나 보내버린 그 얼굴을. 그 얼굴은 말하고 있었다. '인생은 바람이고, 바람은 머물지 않는다.'고.

늦은 고백

내 마음속에는 접고 또 접은 작은 쪽지 한 장이 남아 있다. 아주 어렸을 적에 끼워놓았던 것이다. 이제 그 쪽지는 색이 누렇게 변했고 가장자리에는 보푸라기가 일어나 있다. 미세한 나풀거림에 그 아이의 오동통한 얼굴과 유난히 큰 눈이 얼비친다. 나는 언젠가 함께 소꿉놀이를 했던 그 바위에서 그 아이를 꼭 한 번 더 만나고 싶다는 소망을 안고 살아왔다.

나와 그 아이는 같은 계절에 태어났는지도 모른다. 지금처럼 친구 생일에 초대되고 축하해주던 시절이 아니었기에 그 아이의 생일은 알 수 없지만, 우리가 동갑내기라는 것은 알고 있다. 똑같이 하얀 손수건을 왼쪽 가슴에 달고 엄마 손을 잡고 초등학교에 입학을 했었으니까. 우리의 추억은 한정적인 나의 기억 울타리 안에 있지만, 겨울밤 동네 아낙들이 모여 있는 방에서 함께 기저귀를 차고 서로를 쳐다보며 옹알이를 하지 않았다고 누가 말하겠는가. 그러나 나의 머릿속에 있는 그 아이와의 추억은 동네 어귀의 도톰한 언덕에 자리한 넙적하고 반질반질한 바위의 상차림에서부터 시작된다.

상징처럼 동네 입구에 자리하고 있던 바위. 그 바위에 앉으면 십리 밖까지 다 보였다. 산자락에 붙어 있는 이웃동네들이 소나무 밑에서 자라고 있는 송이버섯처럼 보였다. 동네 사람들의 그 많은 사연을 듣고도 모르는 척 늘 평온하고 여유롭기만 하던 바위. 그 바위의 기우뚱한 주변은 햇볕의 왕국이라도 되는 양 나무 한 그루 보이지 않았다. 저만큼 떨어진 곳에 서 있는 정자나무를 빼고는.

임진왜란 때 두 사람이 피난 와서 살게 되면서 동네가 형성되기 시작했다는 기록을 어디선가 읽은 적이 있다. 은신처로서는 최상의 지형이 틀림없다. 보통 시골 마을은 멀리서 봐도 동네가 훤히 보이는 경우가 대부분이다. 그런데 우리 동네는 비밀을 안고 있는 듯 모습을 쉽게 드러내지 않았다. 면소재지에서 십리를 걸어 들어가다 보면 길이 산허리를 돌아간다. 산허리를 돌면 왼쪽에 얕은 계곡과 같은 지형이 눈에 들어온다. 그곳에 집들이 옹기종기 모여 있다. 트인 곳이라고는 바다가 보이는 동녘뿐이다. 승용차 두 대가 맘 놓고 비켜갈 수 없는 신작로는 산 중턱을 깎아 만든 길이다.

그런 동네에서 눈이 큰 그 아이와 나는 자랐다. 우리는 테이블처럼 반반한 바위 위에서 놀았다. 나는 지난밤에 먹었던 꼬막과 조개껍질들을 바위에 펼쳐놓고 풀을 뜯어 반찬을 만들고 들꽃으로 밥상을 차렸다. 그 아이는 고기가 없다며 풍뎅이도 잡아오고 여치도 잡아왔다.

또 그 아이를 생각하면 감나무에 달린 작은 동우(이)감이 떠오른다. 앙증맞은 항아리처럼 생긴 동이감은 대봉 감처럼 생겼지만 사이즈가 작았다. 그 아이의 집과 우리집은 동네를 가로지르는 길을 사이에 두고, 우리집은 높은 쪽에 그 아이의 집은 낮은 쪽에 있었다. 우리집 마당 담벼락에서 보면 그 아이의 집 전경이 한눈에 훤히 보였다. 대문을 나서면 제일 먼저 눈에 띄는 게 그 아이의 집 담벼락이었다. 담벼락은 돌을 층층이 쌓아 만들어져 있었다. 동우감나무 한 그루가 돌담을 기대고 서 있었다. 그 감나무는 홀쭉하게 생겼지만 가지는 무성했다. 늦가을에 감나무 잎사귀가 하나둘씩 떨어지고 나면 새빨간 작은 동이감들이 옹기종기 앙상한 가지를 붙들고 있었다. 더러는 짓궂은 바람에 떨어지기도 했지만 대부분 악착같은 생명력을 자랑했다. 가을이 깊어갈수록 동이감도 매혹적으로 변해갔다. 담벼락 너머로 휘어진 가지에 매달린 감의 자태는 동네 아이들의 시선을 사로잡았다. 그런데 그 아이는 오직 나에게만 그 감을 따먹도록 허락했다. 난 그 아이의 배려로 서리를 맞은 말캉말캉한 홍시도 먹을 수 있었다.

초등학교에 입학을 하면서부터 우리는 등하교를 함께 했다. 고개를 넘고 다른 동네를 지나는 길은 즐거움의 연속이었다. 여름이면 저수지의 수문에서 물과 함께 흘러내려오는 새끼붕어를 잡는 재미에 빠져 해 지는 줄 몰랐다. 운이 좋은 날이면 새끼장어까지 외출을 나와 우린 함성을 지르기도 했다. 그렇게 놀이에 빠져 있다 보면 허기가 밀려왔다. 그 아이는 동네 어귀에 있는 밭 귀퉁이를 팠다. 그건 아침 등굣길에 고구마를 묻어 두었던 자리다. 흙이 묻어 있는 고구마를 밭둑에 자라고 있는 풀에 슥슥 문질러 나에게 내밀었다. 언젠가는 그 아이를 다시 만나 아릿한 추억을 더듬으며 꼭 해주고 싶은 말이 있다.

어느 해였다. 시간을 쪼개 고향을 방문했다. 대낮이었건만 사람들의 그림자도, 어린아이들의 소리도 들리지 않는 동네는 괴괴하기만 했다. 어린 시절 추억을 담고 있는 늙은 집 앞에서 그 아이의 집 돌담을 바라보았다. 그 감나무는 사라지고 없었지만 돌담은 그대로 있었다. 두근거리는 가슴을 여미며 그 집 대문 안을 살며시 들여다보았다. 집은 예전처럼 깨끗하게 관리가 되어 있었으나 사람의 그림자는 보이지 않았다. 사진 한 컷

찍고 돌아섰다.

　며칠 후, 가족 모임에 참석하게 되었다. 우연히 동갑내기 사촌과 이야기를 나누던 중에 눈이 큰 그 아이가 화두에 올랐다. 묵은 반가움으로 그 아이의 전화번호를 물었다. 드디어 그 아이를 만날 수 있겠다는 기쁨으로. 어떻게 변했을까. 아직도 그 큰 눈을 간직하고 있을까. 나를 기억이나 할까. 나는 사촌의 눈을 바라보며 그 아이의 연락처를 재촉했다. 순간, 사촌의 눈에 갈등의 빛이 스쳐 지났다. 난 그 아이가 혹시 불행한 삶을 살고 있지는 않나, 하는 생각을 순간적으로 했다. 그때 사촌은 뭔가 결심한 듯 입을 열었다.

　"근디… 갸가 죽었다. 2년쯤 되었지 아마."

　"…!!"

　나는 돌담이 와르르 무너지는 소리를 들으며 사십 년이 넘도록 묻어두었던 말을 홀로 중얼거렸다.

　'나도 니를 좋아했었는디….'

터널에는 출구가

〰〰 구십을 넘어선 노모의 허리는 아직도 꼿꼿하고 짱짱하다. "내가 오래 살아 뭐해." 하면서도 몸에 이상신호가 생기면 열일 제쳐두고 병원으로 향한다.

언젠가는 기력이 없다고 영양제를 맞으러 삼일 연속 병원에 갔다가 퇴짜를 맞았다고 한다. 병원에서는 고객을 얼마든지 받고 싶었겠지만, 영양제 한 대 맞고 나면 힘이 불끈 솟는다고 삼일 연속 찾아오는 구십 대 노인의 행보가 염려스러웠던 모양이다. 영양제에 기대어서라도 하루를 힘있게 살고자 노력하는 걸 보면 '내가 오래 살아 뭐해'는 뜻 없는 푸념일 뿐. 노모에게 힘이 되는 건 멀리 있는 자식들이 아니라 가까이에 있는 영양제 한 방이다.

난 그 영양제 한 방보다도 못한 자식 중 한 명이다. 역시 멀리 산다. 전화도 자주 못한다. 겨우 한다는 게 필요할 때 용돈 몇 푼 보내드리는 게 전부다. 어렸을 땐 '돈 벌면 엄마에게 전부 주겠다'는 다짐도 했었다고 노모는 회상하지만, 난 기억에 없다. 내가 했다는 그 약속과는 달리 내 자식들 키워내기에 바쁘다. 그게 삶의 순환 원리인가?

약 2년 전, 영양제 한 방보다 못한 자식 중 한 명이 노모보다 세상을 앞서 떠났다. 한 사람이 흙을 밟고 살았던 흔적이 다시 흙으로 돌아가는 모습을 지켜본다는 건 아픔과 안타까움의 화형식이다. 그 뒤 나는 다시 내가 사는 곳으로 돌아와야 했다. 떠나기 전, 노모에게 드린 용돈 몇 푼을 계좌에 입금시키고자 노모와 함께 은행을 찾았다. 그리고 은행에서 노모의 집으로 돌아오는 길 내내 마음이 무거웠다. 내가 노모의 삶을 깊이 있게 들여다보았던 한 기억 때문이다.

나에게 화석처럼 굳어진 엄마의 젊은 모습은, 뽀그르르 말린 파마 머리에 '빨간색'을 '삘간색'이라고 말하는 것이었다. 그 시대 그 머리 스타일이 유행이었다 하더라도 조금 더 격조 높은 미장원에서 웨이브 파마를 하고 다니는 엄마 또래의 다른 아줌마들을 부러워했던 나. 돌이켜보면 엄마의 브로콜리 헤어스타일은 영양제 한 방보다도 못하게 될 자식들을 키워내느라 허덕이는 시간이었을 것이다. 오글오글 자라고 있는 자식들이 미래에 영양제 한 방이 되어줄 것을 철석같이 믿으면서 말이다.

엄마가 암흑 속에서 살아가고 있다는 사실을 알게 된 건 내가 단발머리 소녀였을 때다. 그날 나는 엄마와 함께 어느 사무실을 찾아가고 있었다. 엄마는 한번 가봤던 곳이고, 난 초행이었다. 엄마의 팔짱을 끼고 걸으며 내가 물었다.

"엄마, 그 사무실 이름이 뭔지 앙가?"

엄마는 대답 대신 그 주변에 가면 안다고 했다. 엄마가 말한 그 주변에 도착했을 때 엄마는 주춤거리며 혼자 중얼거렸다.

'저기 전봇대가 있고, 삘강(빨강) 간판 옆에….'

순간 망치로 뒤통수를 한 대 얻어맞은 느낌이었다. 현기증으로 거리가 울렁거렸다. 빨간색 간판 옆에 있는 우리가 가고자 한 사무실 이름이 OOO라고 적혀 있었다. 엄마는 가고자 한 사무실이 이름이 아닌 삘간색(빨간색) 간판을 기억해 두었던 것이다. 가슴에 수백 개의 바늘이 동시에 박히는 통증이 밀려들었다. 청천벽력이었다. 문맹! 그건 엄마에게 커다란 비밀이었고 두려움이었다. 눈이 침침하다는 이유를 들어 고지서나 편지를 내게 슬며시 내밀던 풍전등화의 기억들이 산발적으로 퍽퍽 솟기 시작했다. 어지럽게 흩어지는 기억의 불빛에 난 눈앞이 하얘졌다. 고장 난 수도꼭지처럼 외할아버지에 대한 불만으로 들먹이던 엄마의 구시렁거림, "밤길이 뭐가 그리 무섭다고 못 가게 했을까. 깜깜한 시상(세상)보다 더 무서운 게 어디 있다고." 문맹퇴치 운동이 한창이던 때, 엄마가 살던 곳에서도 야학이 세워졌던 것이다. 하지만 미혼이었던 딸이 캄캄한 밤길을 헤치며 글공부를 하러 가는 것에 대해 호의적이지 않았던 할아버지. 그렇게 이어진 엄마의 깜깜한 세상! 지금껏 밝은 세상에서 홀로 어둠을 타고 더듬거리며 걸어왔을 엄마. 어둠 속에서 돌부리에 채여 휘청거리다 넘어져 찢기고 터진 상처가 어디 한두 군데였을까. 그 모습이 안타까워 나는 엄마의 팔을 더욱 꼬옥 붙들며 말했다.

"그라고 봉께 저 간판이 빨강이라 눈에 확~ 띠네."

그리고 벌게진 눈을 들키지 않으려 눈에 먼지가 들어간 듯 양 손등으로 눈을 비벼댔다.

온몸과 마음으로 지켜내고 키워낸 자식들이 날개 달린 새들처럼 훌훌 둥지를 떠나고, 잔소리의 왕으로 불리던 남편도 갑작스럽게 곁을 떠나고 없을 때, 엄마는 돋보기에 의존하며 글공부를 시작했다. 자식들이 보내준 택배의 이름을 헤아리고, 전화번호를 분별하며 홀로서기에 분주했다.

엄마와 함께 은행을 다녀오던 그날 문득 든 생각이 있었다. 엄마가 은행에 입출금을 할 때 스스로 용지를 작성하나? 그것이 궁금했던 난 물었다.

"엄마, 은행에 돈을 입금시킬 때 어떻게 항가?"

"창구 직원이 해 주제."

"금액이 맞는지 안 맞는지 확인은?"

"아가씨한테 물어보제."

집에 도착한 난 널찍한 밥상을 펴서 엄마 앞에 놓았다. 흰 종이와 연필 그리고 지우개도 상 위에 올려놓으며 말했다.

"엄마, 오늘 나하고 공부를 좀 해야 쓰겠네."

"그렇잖아도 나 요즘에 공부하러 다녀야."

노모는 서랍장에서 노트 한 권을 꺼내 내 앞에 내밀었다. 노인학교에서 배운 한글 그림들이 노트를 채우고 있었다. 그 노트를 보니 그나마 희망이 생겼다. 다음날이면 노모를 뒤로 하고 내가 살고 있는 곳으로 돌아가야 한다. 몇 시간 내에 노모가 은행 일을 자유롭게 볼 수 있도록 해드리는 게 과연 가능할까, 염려가 앞섰다. 노모는 돋보기를 쓰고 삶의 굴곡이 패인 손으로 가느다란 연필을 집어들었다. 난 샘플로 글자 만 원, 십만 원, 백만 원 그리고 숫자 만 원, 십만 원, 백만 원을 흰 종이 위에 적어 나갔다. 노모는 더듬거리며 필사에 총력을 기울였다. 몇 번의 연습 끝에 시험 문제를 엄마에게 냈다. 먼저 숫자 만 원과 십만 원 그리고 백만 원을 적게 했다. 아직 정신이 또랑또랑한 노모는 콤마까지 찍어가며 문제를 풀었다. 이제는 그 숫자를 글자로 전환해야 하는 고난도의 문제가 놓여 있었다. 노모는 온 정신을 집중하여 첫 번째 문제를 풀어나갔다. 그런데 답란에 '심마 원'이라고 적었다. 노모에게 말했다.

"지금 엄마가 쓴 거 한번 읽어 보소."

"십. 만. 원!"

내가 말했다.

"엄마가 읽은 건 백 점인디, 쓴 건 오십 점이네."

"왜야?"

"십만 원이 아니고 심마 원으로 썼응께."

"음마, 내가 분맹히 십만 원으로 썼는디…."

난 정답을 엄마 앞에 내놓았다. 엄마는 그 정답을 다시 베껴 쓰기 시작했다. 그날 엄마의 특별 수업은 매우 성공적이었다. 다음날, 공항으로 출발하면서 난 엄마에게 다시 한 번 더 다짐을 시켰다.

"매일 그 시험 문제 놓고 공부해야 하네잉. 그라고 은행 창구 아가씨가 적어준 입출금을 꼭 확인해야 하고."

나의 당부에 엄마는 자신 있게 대답했다.

"알았어야."

내가 탄 택시의 문을 닫아주는 엄마의 얼굴은 어스름한 어둠에서 한 발짝 빛 속으로 다가서는 모습이었다. 나를 태운 택시가 시야에서 사라질 때까지 엄마는 그 자리에 그대로 서 있었다. 그 모습을 바라보며 생각했다.

'어둠은 시간에 의해 걷히고, 두려움은 노력에 의해 걷힌다는 것을.'

살구 파는 영희

마음이 혼란스럽고 좌절감이 밀려올 때 생각나는 사람이 하나 있다. 내 친구 영희다. 영희는 이목구비가 그다지 뛰어나지 않았다. 키도 보통보다 조금 작았다. 학벌이나 집안 형편도 좋은 편이 못 되었다. 그러나 내가 살아가면서 흔들리고 비틀거릴 때 가끔씩 그녀가 나의 감정을 잠재워주곤 했다. 훨씬 더 좋은 환경에서 자랐고 공부도 더 많이 한 나를 이끌어주는 힘이 그녀에겐 있었다. 그러니 영희가 가진 힘은 가정환경이나 정규교육에서 생겨난 것이 아니었다.

중학교 때 처음 영희를 만났다. 영희는 나에게 최초로 '충격'이란 단어를 안겨주었다. 그것은 좌절이 아니라 희망을 동반한 '충격'이었다.

영희는 조개를 파는 아이였다. 재래시장 구석진 곳에 쪼그리고 앉아 조개를 까서 팔고 있는 단발머리 소녀. 지금처럼 대형

마켓이 있거나, 냉장고에 음식을 가득 채워놓던 시절도 아니었기에 주부들은 아침상을 차리기 위해 아침시장으로, 저녁거리를 사기 위해 저녁시장으로 향해야 했다.

시장에서 처음 영희를 보았던 날은 어느 주말이었다. 나는 젖먹이 동생을 업고 생선 비린 냄새가 진동하는 골목을 어슬렁거리고 있었다. 집이 시장통이었기에 그곳은 나의 놀이터 겸 학습현장이었다. 상자에 담긴 때깔 좋은 생선들이 즐비했다. 토막난 생선이 도마 위에서 들썩거리기도 하고, 이제 막 배를 갈라 꺼내놓은 심장이 마지막 숨을 고르는지 헐떡거리기도 했다. 생선장수 아줌마들은 갈고리로 인정사정없이 생선 아가미를 내리찍어 손님들에게 싱싱하다고 들이댔다. 그렇게 거칠고 생존경쟁이 치열한 구석에서 단발머리 소녀가 작고 날카로운 칼을 잡고 노련한 손길로 연신 조개를 까고 있었다. 눈길은 손님을 향해 있으면서도 손놀림은 쉬지 않았다.

아직 추위가 생색을 내고 있던 계절, 그 소녀의 손등은 추위로 벌개 있었다. 그녀가 우리 반 영희라는 사실을 발견한 나는 사람들 틈으로 얼른 숨어버렸다. 내가 나타나서 영희 마음에 상처를 내고 싶지 않아서였다. 그 이후, 난 주말이면 먼발치에서 영희가 조개를 파는 모습을 바라보곤 했다. 평소에 영희는 자신에게 주어진 거친 삶에 대해 불평 한마디 하지 않았다.

영희의 흑백사진을 뒤로 하고 나는 나의 삶을 향해 나아갔다. 고등학교에 진학도 하고 결혼도 하고 유학도 갔다. 고국 방문을 할 때마다 흑백사진 속에 멈추어 있는 영희 생각에 몸을 뒤척거렸다. 아직도 그녀는 그곳에서 무언가를 팔고 있을까 하는 생각 때문이었다. 궁금증을 이기지 못한 어느 날, 나는 영희를 찾아 나서기로 했다. 그 재래식 시장은 그 자리에서 똑같은 모습으로 시간을 움켜쥐고 있었다.

엄마가 알려준 장소에 영희라고 생각되는 아주머니가 두 사람 있었다. 그 두 사람 중에 누가 영희일까 생각하면서 한참을 망설였다. 얼굴이 많이 변해 있어 단정 짓기가 힘들었다. 힘든 세파에 변하지 않을 사람이 어디 있겠는가? 뭐라고 하면서 다가갈까 하는 생각으로 주춤거리고 있는데, 그 두 아주머니 너머로 아주 익숙한 얼굴이 눈에 들어왔다.

영희가 아직 그곳에 있었다! 사십 년 전 그 얼굴 그대로! 세월이 할퀸 시간도 있을 터인데 어쩌면 저리도 변하지 않는지 가슴이 쿵쾅거렸다. 나는 행여 영희에게 부담스러운 차림새는 아닌가 싶어서 내 차림새를 훑어보았다. 영희는 이제 조개가 아닌 살구를 팔고 있었다. 날 곧바로 알아보면 저 살구를 팔아주지 못할 것 같아 조바심이 일었다. 사십 년 전에는 조개를 팔아

줄 수 없었지만, 사십 년 후 지금은 저 살구를 꼭 팔아주고 싶었다. 나는 들고 있던 양산으로 얼굴을 살짝 가리며 다가갔다.

양산을 쓴 내가 다가가자 영희는 나에게 말을 걸어왔다. "살구가 참 달아요. 많이 드릴게요. 사세요." 영희가 파는 살구는 상업적 물건 같지가 않았다. 집에 있는 살구나무에서 딴 듯이 크기가 일정하지 않았다. 나는 어정쩡한 태도로 플라스틱 소쿠리에 담겨 있는 살구 두 모둠을 달라고 했다. 그때까지 영희는 나를 알아보지 못하고 있었다. 다행이었다. 돈을 치르고 잠시 머뭇거리다가 내가 되물었다. "나 모르겠어?" 영희는 의아한 눈빛으로 나를 쳐다보았다. 곧바로 나를 알아보지 못한 영희를 위해 나는 성급하게 내 이름을 말해버렸다. 영희는 만지작거리던 살구를 떨어뜨리며 벌떡 일어섰다. 그날 우리는 사십 년을 뒤로 하고 서로 반가운 포옹을 했다. 영희는 딸이 둘인데 모두 대학생이라고 말하며 환하게 웃었다.

거친 삶의 바람 앞에서도 그 바람을 기꺼이 받아들인 얼굴이었다. 영희의 미소는, '인생의 바람은 동행하고자 하면 조력자의 역할을, 저항하려 들면 파괴력을 지녔다'는 사실을 말해주고 있었다.

"난 아까 먹었응께."

"엄마, 제상 차린가?"

새벽 댓바람부터 부산스럽게 움직이는 엄마를 향해 물었다.

"이잉, 오늘이 장날이라 일찍 가야 생선이고 채소고 성성한 것을 사지, 늦게 가믄 찌끄러기밖에 없어야."

"그러면 나를 깨우지 그냥 혼자 갔능가?"

"버스 타고 휘딱 갔다오믄 되는디 뭐할라고."

"시장 본 거 들고 올라면 무거우니 그렇지."

"올 때는 택시 타고 옹께 아무 일 없어야. 그라고 특별히 산 것도 없어."

팔순 넘은 노모의 낭랑한 목소리다. 마켓이 코앞에 있는데도 생선이나 야채를 사기 위해 엄마는 굳이 재래시장까지 다녀오기를 마다하지 않는다.

나는 그런 엄마의 옆모습을 물끄러미 바라보며 후회하고 있었다. 엄마를 방문할 때마다 매번 스스로에게 다짐하던 것이 있었다. '이번에는 내가 엄마에게 꼭 밥상을 차려드려야지.' 그런데 밥상을 차려드리기는커녕 팔순 넘은 노모가 차린 밥상을 언제나 받는다. 그 밥상은 늘 제사상처럼 음식으로 빼곡하다.

나는 엄마가 아직도 밥상을 차려주고 싶은 자식이고, 나에게도 또한 그런 딸이 있다. 그 딸과 함께 엄마를 방문을 했다. 삼대에 걸친 여자 셋이 모인 것은 7년 만이었다. 나이 서른을 향해 오르고 있는 딸, 오십 중반에 서있는 나. 팔순을 훌쩍 넘긴 엄마. 세 여자가 좁은 아파트에서 아침부터 밥을 먹기 시작한다. 아침을 먹고 나면 금방 점심때다. 반찬으로 빼곡한 상에는 영락없이 국물도 오른다. 살아서 꼬물거리는 낙지도 오른다. 설거지를 마치고 나면 부풀어 오른 배를 어루만지며 거실에 벌렁 드러눕는다. 배가 불러 움직이기 싫다. 딸은 소파에 누워 늘어진 뱃살을 움켜쥐며 외친다.

"어머 세상에, 엄마 이 배 좀 봐. 각선미가 다 사라지고 없어. 이걸 어째?"

그건 딸만의 문제가 아니었다. 나의 당면과제이기도 했다. 나는 딸에게 슬쩍 얄팍한 음모를 털어놓았다. 그러자 딸도 동참의 뜻을 내비쳤다. 우리는 음모를 실행에 옮기기로 했다. 아침은 먹지만, 탄수화물을 줄이기 위해 반찬 위주로 먹는다. 할머니집에는 인터넷이 되지 않는다는 핑계로 주변에 있는 카페로 줄행랑을 친다. 점심은 건너뛰기로 한다. 우리는 마치 비밀결사대에 가입이라도 한 듯 비장한 각오를 서로에게 다졌다.

다음 날 아침, 엄마의 도마 소리가 '톡톡톡, 통통통, 탁탁탁' 새벽을 가르고 있었다. 아침 밥상을 받은 딸은 둘이 결의한 동맹을 까마득히 잊은 듯 상에 오른 밥이며 나물들을 먹어대기 시작했다. 내가 아무리 눈을 흘겨도 상관치 않고 미국에 들어가면 결코 맛볼 수 없는 진미라며 깡그리 먹어 치웠다. 그렇게 싹쓸이를 하고 나서 딸은 또 후회스러운 넋두리를 늘어놓았다.

"왜 할머니 밥상만 보면 다짐했던 맘이 순식간에 사라지고 말지?"

일단 먹은 것은 먹은 거고, 카페로 가자! 우리는 가방에 책을 주섬주섬 챙겨 넣고 어젯밤에 계획했던 대로 카페로 향했다. 긴급히 인터넷을 써야 한다는 우리의 강경함에 엄마는 그럼 점심 전까지는 돌아오라는 말을 남겼다. 우리는 현관문을 나오면서 외쳤다.

"오늘 점심은 집에서 못 먹을지도 몰라요."

딸과 나는 엘리베이터도 타지 않고 4층 계단을 단숨에 내려왔다.

카페 안은 공기가 매우 쾌적했다. 나는 사천 원짜리 페퍼민트

차를 시키고, 딸은 키위 주스를 시켰다. 다섯 시간 정도 앉아 있을 만한 구석진 자리를 골랐다. 손님도 별로 많지 않아 우리가 눌러 붙어 있어도 눈치를 주지 않을 것 같아 좋았다.

우리는 마치 인터넷 중독자라도 된 듯이 화면 속으로 빠져들었다. 미국에 있는 친구들이 보낸 카톡도 점검하고 문자도 보내고 이메일 답신을 하다 보니 다섯 시간이 후딱 지났다. 우리는 '30분만 더?' 하고 서로 눈빛을 주고받았다. 그런데 삼십 분이 아닌 한 시간이 또 훌쩍 지나고 말았다. 딸은 할머니가 기다리겠다며 허겁지겁 컴퓨터를 끄고 가방을 챙겼다. 한 끼를 건너뛴 배도 이제야 좀 편안해졌다. 아파트 현관문 앞에 도착하자마자 엄마는 온종일 문고리를 잡고 기다린 사람처럼 벨이 울리기도 전에 열어주었다. 문을 열면서 엄마는 야단을 쳤다.

"아니, 점심도 안 먹고 왜 이제야 오냐?"

"할머니, 우리 밖에서 점심 먹었어요!"

딸은 돌돌 말려들어가는 혀로 대답했다. 엄마는 자못 섭섭한 투로 손녀에게 물었다.

"그래. 뭐 먹었냐. 맛있드냐?"

"우리 주스 많이 먹었어요. 그래도 할머니 밥이 세상에서 젤 맛있어요."

딸은 약간 미안한 맘이 들었던지 할머니의 손맛을 칭송했다.

그런 손녀를 쳐다보는 엄마의 얼굴에 할미꽃이 함박 피어났다.

그날 저녁 상다리는 더욱 무게에 짓눌려 후들거렸다. 거기에 통통한 갈치 세 토막이 접시에 올라와 있었다. 그놈의 갈치 때문에 엄마는 어제 온종일 툴툴거렸다. 치솟는 물가 때문이었다. 엄마는 반짝거리는 갈치의 은빛 껍질을 투박하지만 뭐든 슥슥 잘라내는 식칼로 벗겨내고 굵은 바닷소금을 척척 뿌렸다. 노릇노릇하게 구운 갈치를 상에 올리면서 또 한 푸념을 늘어놓았다.

"에징간히 비싸야 말이제. 갈치 값이 금값이랑께….'

엄마는 못내 두 마리를 사지 못한 아쉬움이 남는 듯했다. 잘 구운 통통한 갈치를 보자 한 끼를 건너뛴 우리는 순식간에 밥 한 공기를 뚝딱 해치웠다. 딸과 나는 밥상을 치우며 싱싱한 생선은 역시 비린내도 나지 않는다고 호들갑을 떨었다.

앙상한 갈치 뼈를 음식 분리수거 봉지에 털어 넣으려던 나는 싱크대에 놓인 작은 종지기를 보고 그만 주춤했다. 그 종지기에는 갈치 뼈 한 토막이 놓여 있었다. 우리가 발라 먹었던 갈치 뼈는 반듯하고 튼튼하게 생긴 반면, 종지기에 놓인 갈치 뼈는 작고 왜소했다. 갈치가 담긴 접시를 우리 앞에 놓으며 했던 엄마의 말이 귓가에 웅웅거렸다.

"난 아까 실컷 먹었응께 이거 남기지 말고 다 먹어라잉.'

잃어버린 냄비우동

2008년 여름

　　　　　　≋≋　난 올해 스물네 살이다. 그런데 나에게는 스물세 살짜리 딸이 있다. 그 딸은 한국말을 돌돌 말아가면서 하고, 나는 영어를 뻣뻣하게 한다. 이십사 년 전, 혼인신고와 동시에 남편과 나는 낯선 땅을 향해 발길을 내딛었다. 그 다음 해에 태어난 아이가 바로 혀를 돌돌 말아가면서 한국말을 하는 딸이다. 스물네 살은 나의 이민 나이다. 24년을 살았음에도 난 아직도 이 땅에서의 삶이 어설프게 느껴진다. 문화도 그렇고 언어도 그렇다. 딸은 종종 나의 뻣뻣한 영어가 또르륵 구를 수 있도록 고쳐주려고 시도도 해보지만 되돌아오는 건 딸의 절망스러운 한숨뿐이다.

　그런 딸이 열아홉 살 되던 대학 2학년 방학 때였다. 한국으로 어학연수를 가겠다고 서둘렀다. 난 너무 감격스러워 정말 스물네 살이 되어 손뼉을 짝짝 쳤다. 이제 딸이 한국말을 확실하게 배워오면 우리 모녀지간의 그 애매모호한 소통을 끝낼 수 있지 않을까 해서다. 우리는 늘 속 시원한 대화를 하지 못한다. 내가 한국말로 유창하게 떠들어대면 딸의 이해력이 애매해지고, 딸이 영어를 또르륵 굴리면 나의 이해력이 모호해지기 때문이다.

그래서 난 열렬한 후원자가 되기로 작정하고 딸을 향해 외쳤다.

"모든 비용은 엄마가 책임질 테니까 넌 염려 붙들어 매. 알았지?"

그런데 딸은 학교에서 나오는 금액이면 거의 대부분의 비용을 충당할 수 있다며 후원자의 지원을 일언지하에 거절하고 말았다. 난 속으로 '계집애, 내 도움 좀 받으면 어디가 덧나니?' 하면서 샐쭉하니 말꼬리를 흐렸다. 우리는 그렇게 쬐그마한 것에서도 문화라는 문턱에 걸려 기우뚱거리곤 했다.

드디어 딸이 한국으로 어학연수를 떠나는 날이 다가왔다. 난 이것저것 흑백 앨범에 갇힌 기억들을 뒤적거리며 딸에게 일러주고 당부하느라고 바빴다.

"사람들이 많은 곳에서는 절대로 두리번거리고 다니면 안 된다는 거 알지? 행여 길을 잃게 되더라도 태연하게 행동해야 해. 택시를 타게 되면 반드시 친구나 친지에게 전화를 걸어 현재 너의 위치를 알려주는 거 잊지 말아라. 지하철이나 버스에서 소매

치기 당하지 않게 가방 조심하고."

뇌에 지진이 일도록 머리를 쥐어짜며 나열하고 있는데, 딸의 대답이 시원스럽게 들리지 않아 재차 "알았지? 듣고 있지? 꼭 그래야 해."를 강조해댔다. 그런데도 옆에서 짐을 싸고 있는 딸의 대답은 영 시원찮았다. 급기야 나는 성깔이 바짝 오른 눈으로 딸을 쳐다보며 소리를 버럭 지르고 말았다.

"너 지금 내 말 듣고 있는 거야?"

아아! 그런데 딸은 솜뭉치로 양쪽 귀를 막아 놓은 게 아닌가!

저와 나 사이에 생긴 문턱에 걸려 혹이 난 엄마를 두고 딸은 어학연수 길에 올랐다. 그렇게 떠나는 딸의 뒤꽁무니에 대고 난 또 외쳤다.

"나도 곧 외할머니 뵈러 한국에 나갈 거야. 그때 봐."

하지만 되돌아오는 메아리는 없었다. 딸의 안전이 조바심 나 견딜 수 없었던 나는 한 달 후에 한국행 트랩을 밟았다. 시골에 계시는 친정엄마 집보다도 서울에 있는 시누이 집에다 먼저 짐을 풀었다.

딸은 내가 걱정했던 것보다도 훨씬 더 씩씩하게 캠퍼스 생활에 적응해나가고 있었다. 친정엄마에게는 조만간 내려가겠다는 소식만 전하고 딸의 주변을 쭈뼛거렸다. 주말에는 대학 주변의 음식점들을 함께 누비고 다녔다. 딸은 그 사이에 2, 3천 원짜리 음식점들을 쫙 꿰고 있었고, 버스와 전철 노선을 서울에 살고 있는 시누이보다도 더 훤하게 그려냈다. 동대문시장, 지하상가 등을 휘젓고 다니면서 어떻게 하면 바가지를 쓰지 않는지까지 통달하고 있었다. 딸의 한국말도 생활만큼이나 빠른 속도로 유창해지고 있었다.

딸과 약 2주를 그렇게 보내고 있는데 슬슬 눈치를 주기 시작했다. 시골에 계시는 외할머니께서 외롭지 않으시겠느냐는 말을 넌지시 건넸다. 다른 가족들이 있어서 그렇게 외롭진 않으실 거라는 눈치코치 없는 나의 대구에, 딸은 다른 가족이 있어도 엄마가 날 보고 싶어 여기까지 왔던 것처럼 외할머니도 엄마가 무척 보고 싶으실 거라 했다. 난 그만 정곡을 찔리고 말았다.

그 다음날 난 찍 소리도 못하고 KTX에 몸을 실었다. 한국에 올 때마다 총알 같은 비행기로 시골에 내려가곤 해서 그동안 고국의 시골 풍경을 한가하게 바라볼 수 있는 시간이 없었다. 그래서인지 KTX 여행은 날 동심의 골목으로 한없이 끌고 갔다. 역시 시골 풍경은 양철집이나 현대가옥보다는 초가집이 제멋이라는 아쉬움에 잠겨 있는데 휴대폰이 흥얼거렸다. 딸이었다. "여보세요?"가 끝나기도 전에 딸이 다급하면서도 풀이 팍 꺾인 목소리로 물었다.

"엄마, 냄비우동이 노란 무, 깍두기, 그리고 배추김치예요?"

"어, 아닌데. 냄비우동은 누들 스프(noodle soup)인데."

딸은 교내식당에서 냄비우동을 시켰다고 했다. 그런데 주문을 받은 아주머니가 노란 무, 깍두기 그리고 배추김치가 담겨진 트레이를 내주었다는 것이다. 딸은 매우 실망스러웠지만, 그 세 가지 반찬이 냄비우동인 줄 알고 먹고 있었단다. 그런데 옆에서 음식을 먹고 있던 다른 학생들이 밥도 없이 반찬만을 먹고 있는 자신을 힐끔힐끔 쳐다보자, 아차 뭔가 잘못되었구나 싶어 엄마에게 긴급 문의를 하게 되었던 것이다.

잠시 후, 휴대폰이 경쾌하게 울렸다. 냄비우동을 받아서 맛있게 먹고 있다며 아주 흡족해하는 목소리였다. 난 삐져나오는 웃음을 틀어막으며 어떻게 말했느냐고 물었더니 딸은 자랑스럽게 말했다. 나와 통화를 끝내고 주방 아주머니를 향해 외쳤단다.

"아줌마, 내 냄비우동 잃어버렸어요!"

그 냄비우동 사건 이후, 우리 사이에 놓여 있던 문화의 턱은 치워지고 없다. 이 땅에서 그 긴 세월 동안 어떻게 절뚝거리며 살아왔느냐는 딸의 따뜻한 위로를 받으며 난 오늘도 뻣뻣한 혀로 종횡무진 이 땅을 휘젓고 다닌다.

그들은 꽃

〰〰〰 나는 많은 꽃들과 함께 지낸다. 집 주변에는 다양한 꽃들이 계절과 함께 오기도 하고 가기도 한다. 지금껏 꽃은 '아름답다' '예쁘다' '곱다' '향기롭다' 등으로 뇌리에 자리하고 있었던 것 같다. 그런데 어느 순간부터 꽃들이 지닌 성질에 대해, 특성에 대해 더 많은 관심을 가지게 되었다. '꽃들은 씨앗을 어떻게 품고 있나' '자신을 보호하기 위한 자세인가 내보이기 위한 포즈인가' '사람에게 다가가고 싶은가, 아니면 방어하고 있는가' 자연은 인간 안에, 인간은 자연 속에 있음을 알면서도 무심히 지나치는 일상이 허다하다.

꽃이 피어있는 위치에 따라 우리가 바라보는 눈길도 다르게 나타난다. 사람 또한 그러할 것이다. 아주 오래 전, 주름 예방 크림을 바르지 않아도 다림질을 내놓은 듯 피부는 팽팽하고 반질거리던 때. 밤을 꼬박 새우고도 다음날이면 또 다른 하루를 거뜬히 시작할 수 있는 열정이 신체와 정신을 지배하던 때. 수평선 너머로 떨어지는 태양마저도 절망보다는 희망으로 보이던 때. 열정은 신이 인간에게 내린 최고의 선물이라는 생각을 아직 하지 못하던 때. 그때 나는 꽃에 의해 내 마음에 떨어진 한 방울의 이슬을 밟아보았다.

나는 뛰어나게 아이큐가 높은 학생도, 타인의 눈길을 사로잡을 만한 외모의 소유자도 아니었다. 그렇다고 주위 사람들의 부러움을 살만한 멋진 차를 몰고 다니지도 않았다. 지나치는 이들의 눈길을 붙잡기 위해 굳이 노력하지 않는 길가의 한 그루 꽃나무가 아니었을까. 세상은 시들어 보이는 꽃에게, 온전해 보이지 않는 꽃에게 마음을 쉽게 주지 않음을 알게 되었다.

살아오면서 때때로 바람과 함께 휘몰아치는 빗방울 떨어지는 소리를 내 안에서 듣곤 했다. 그럴 때마다 아무리 비바람에 휘둘리더라도 꺾이는 꽃은 되지 않으리라 다짐했다. 생의 장마가 지더라도 내가 가진 향기를 잃지 않으리라. 그런데 요즈음 스스로 향기를 잃어가는 건 아닌가 하고 더럭 겁이 난다.

난 매일 아주 다양한 꽃들과 마주친다. 그 꽃들을 향해 수없이 인사를 한다. 그 인사를 받는 이도 있고, 받지 않는 이도 있다. 그들이 나에게 꽃이듯이 나 역시 그들에게 꽃으로 남고 싶다. 아주 활짝 핀 꽃으로. 그들의 하루에 작은 미소가 되어주는 꽃으로. 그런데 어느 날부터인가 내 마음에 장마가 지기 시작했다. 아무리 이 신발 저 신발로 바꿔 신어도 발바닥의 한구석에 여지없이 생기는 군살 때문이 아니다. 꽃이 꽃을 흔들고 꺾는 장면. 당신은 꽃에 의해 흔들리고 꺾여본 적이 있는가? 꽃으로 맞으면 상처는 보이지 않아도 참 아프다. 꽃은 향기로 말하고, 가시로 공격하고, 컬러로 자신을 드러낸다.

12월에 살고 있으면서도 아직도 4월이라고 착각하며 피어나는 온상의 꽃들도 있다. 인생에서 온상은 존재하지 않는다. 꽃은 피면 반드시 진다. 가시로 무장한 장미도, 도저히 눈길을 거둘 수 없이 피어 있는 수국도 결국 지고 만다. 그러한 사실을 꽃들은 알고 있다. 다만 잠시 잊을 뿐이다. 잊고 있을 때 꽃은 바람을 이용해 흔들고 비의 힘을 빌려 저격한다.

시선을 집중시키는 데에는 화려한 꽃의 컬러도 한 몫을 할 것이다. 온몸에 가시를 세우고 있는 꽃에게는 조심해야 한다는 시선이 잠시 머무를 것이다. 하지만 가장 오랜 시간 가장 가까이 바라보고 싶은 꽃은 역시 향기가 좋은 꽃일 것이다. 장대비가 주룩주룩 쏟아지는 내 마음, 희망이 전혀 없는 건 아니다. 어제와 같이 오늘도 수없이 많은 꽃들을 마주하게 될 것이다. 그 중에는 향기가 은은하고 달큼한 꽃들이 섞여 있다는 걸 안다. 그 기대로 또 하루를 시작한다.

겨울이 지나는 길목에서

〰〰 과거가 자꾸만 길어져 간다.

한때는 옛날이야기만 늘어놓는 노인들에 대해 불편할 때가 있었다. 도대체 그들에게 미래는 없는 건가? 왜 과거에만 매달려 사는 걸까, 하는 의문. 이제 나에게도 과거가 길어지는 시간이 되고 보니, 과거에 대한 푸념이 듣기 싫어 얼굴에 길고 짧은 줄들을 박박 그어대던 시간에 대한 미안한 마음이 든다. 지금이 순간, 과거가 짧은 이들 역시 비슷한 상황에 대해 비슷한 반응을 보일지도 모르겠다. 그게 인생의 함정이라면 함정인 것을. '나는 저 세대처럼 살지 않겠다'는 함정.

나이가 들면 어쩔 수 없이 과거가 만만한가 보다. 현재는 팍팍하고 미래는 불투명하기만 하니까. 현재를 당당하게 말하면 과시형 인간으로 보이기 십상이고, 미래에 대해 당당하면 소위 뻥쟁이로 비춰질 수 있으니까.

과거는 기억과 추억으로 나뉜다. 기억은 팩트, 즉 사실에 근거하는 힘이라면, 추억은 생각만으로도 마음이 훈훈해지는 삶의 한 풍경이 아닐까. 기억이 객관적 토대에 놓여있는 거라면, 추억은 온전히 주관적 토대에 놓여 있다고 볼 수 있다. 그러므로 기억을 꺼내는 시간은 번민이 따를 수 있으나, 추억은 떠올리는 것만으로도 세포의 무장해제를 느끼게 해준다.

누구에게나 단발머리 소녀나 까까중 소년이었던 시절이 있었을 것이다. 그땐 얼굴에 여드름이 꽃처럼 핀 이성을 보는 것만으로도 발목에 힘이 빠지고, 목에 힘이 들어가지 않았던가? 때론 비슷한 나이 또래를 지나칠 때 시선이 뒤통수에 머물러 있다는 착각에 얼굴이 화끈거리기도 하지 않았던가? 관심이 없는 척 지나치다가도 길목을 돌아서면서 가재 눈으로 흘깃 시야를 잡아보는데, 그 모습은 보이지 않고 텅 빈 공간만 멍하니 서 있을 때의 허망함이라니! 나 역시 그 나이에 비슷한 풍경을 지나친 경험이 있다.

그 남학생과 난 대로가 아닌 골목길에서 종종 마주쳤다. 그 골목은 두 사람이 겨우 비켜갈 수 있는 긴 지렛대와 같았다. 주로 내가 내려가는 중이면 그는 올라오는 중이었다. 눈 한번 마주치지 않아도 난 그에 대해 꽤 많은 걸 알고 있었다. 어느 학교에 다니는지, 단정한 학생인지 아닌지, 가족들 관심을 받고 있는지 아닌지 등. 그가 입고 있는 교복과 그의 걸음걸이와 표정이 그렇게 말을 하고 있었다. 그의 교복은 후줄근하지 않았다. 그렇다고 바지 주름이 칼날처럼 잡혀 있는 것도 아니었다. 단정하지만 부자연스럽지 않았다. 편안함이 묻어 있었다. 그는 당시에 유행하던 검정뿔테안경을 쓰고 있었다. 키는 나이만큼 먹었다는 느낌이었다. 표정은 튼실한 과일 같았다. 부모님께 순종하는 아들이겠구나 싶었다. 소위 말하는 인문학적 질문에 고심하는 타입이겠구나 했다. 골목길을 오르내리는 걸로 보아 집안 형편이 넉넉지는 않나 보구나. 그럼에도 꿈을 붙잡고 가는구나. 그로부터 반사되는 빛의 울림이었다.

　그러던 어느 주말이었다. 토요일이었는지 일요일이었는지 기억나지 않는다. 다만 평일은 아니었다. 그날도 나는 교복을 입고 있었다. 나의 일상은 잠자는 시간 외에는 교복을 입고 다녔던 것 같다. 구속됨을 거부하는 편이었지만, 도리와 본분에 매우 충실하고자 했다. 학생으로서의 본분. 일탈된 행동을 하지 않겠다는 자식으로서의 도리. 내가 부모님께 해드릴 수 있는 최선이라고 믿었다. 나무에 가지가 많으면 소소한 바람에도 흔들림이 많듯이, 자식을 많이 둔 우리 부모님 역시 자식들의 이런저런 일로 신경 쓸 일이 많아 보였기에 나는 그저 있는 듯 없는 듯한 자식이고 싶었다. 그리고 그렇게 살았다고 당찬

(?) 자부심을 가지고 있었다. 그러던 어느 날, 부모님이 기억하고 있던 나는 자식들 중에서 가장 골치 아픈 자식이었다는 사실을 알게 되었다! 부모가 원하는 길을 가지 않고 내가 원하는 길을 가고자 했기 때문이다. 그렇듯 생각의 차이는 깊은 바다와도 같다.

그 어느 주말에 나는 부모님이 생각했던 '나'와 내가 생각하고 있었던 '나'의 차이만큼이나 깊은 충격을 맛보았다. 그 지렛대 같은 골목을 들어섰을 때였다. 지게를 진 남자가 골목을 거의 차지하다시피 하고 앞서 걷고 있었다. 그 골목에서는 앞에 사람이 가고 있으면 늘 갈등이 일었다. 조금 더 잰 걸음으로 지나쳐야 하나, 아니면 조금 더 느린 걸음으로 적당한 거리를 두며 계속 뒤를 따라가야 하나. 그날 지게 진 남자를 지나치려면 서로의 사적인 공간을 약간 침범하는 우를 범할 수밖에 없어 보였다. 난제는 그것뿐만이 아니었다. 뒷모습이 매우 익숙하다는 점이었다. 난 그 익숙함에 앞질러 가기를 포기했다.

지게를 진 남자는 다름아닌 골목길에서 종종 마주치던 남학생이었다. 교복이 아닌 사복을 입은 그의 생소한 뒷모습에서 익숙함이 묻어나 있었다. 걸음걸이가 그랬고, 가파른 길을 오르면서도 결코 고개를 숙이지 않는 모습이 그랬다. 늘 마주치던 이성이 지게를 진 자신을 앞질러 갔을 때에 그가 느낄 번민이 그려졌다. 사춘기는 얇은 유리와 같다. 땅에 떨어지면 산산조각이 나는. 아슬아슬한 외길을 걷고 있는 듯한, 의젓하고 의연해 보이는 그라고 해서 예외는 아닐 거라는 생각이 들었다. 그날 그 순간 그의 뒤를 따르는 나의 발걸음은 유난히 조심스러웠다. 누군가가 뒤에서 걷고 있다는 소리를 듣게 하고 싶지 않았다. 그의 뒤를 따르며 난 한 편의 단편소설을 쓰고 있었다.

그는 왜 지게를 지고 가고 있는 걸까? 어깨에 걸쳐진 지게의 사이즈로 보아 자신의 것이 아님은 분명했다. 그렇담 그의 아버지의 직업이…? 그의 집 형편이 그토록 어려운가? 순수하고 고고한 그의 표정에서는 궁핍한 흔적이 보이지 않던데… 주말이라 아버지 일을 돕고 돌아가는 중일까? 그렇다면 그는 집안의 장남이 분명할 거야. 그렇지 않고서야 아버지의 일을 대신할 이유가 있겠어? 난동을 부리는 사춘기의 호르몬을 억제하고 지게를 지겠다는 생각을 했을 때, 제일 먼저 무슨 생각을 했을까? 창피하다는 생각은 들지 않았을까? 같은 또래 여자 아이를 만나게 되면 어쩌나 하는 생각은 하지 않았을까? 그렇게 나는 나의 생각에 몰입되어 있었고, 그는 그의 생각에 잠긴 채로 끝이 없어 보이는 골목길을 오르고 있었다.

어느 지점에 당도했을 때 나에게 골목길은 끝이 났다. 나는 더 이상 숨을 죽이지 않고 걸어도 되었다. 하지만 그는 더 높이 이어지는 골목을 계속 따라 걸었다.

　그날 청춘의 눈에 보이는 또 다른 청춘의 뒷모습은 그리 단순하지 않았다. 개개인이 직면하는 인생의 계절은 자연의 계절과는 다르게 온다는 사실이었다.

내 몸이 밥하는 법을 익혀 버렸다

≋ 난 게으르다.

게으르다는 이유로 어렸을 때 엄마로부터 꾸지람을 폭우처럼 맞았다. 밥도 무지하게 천천히 먹는 습관이 있었다. 다른 식구들은 후딱후딱 먹고 일어나 각자 할 일을 하는데, 나는 홀로 그 큰 밥상머리에 앉아 이 없는 노인마냥 오물오물 우물우물. 그러니 야단맞아도 싸지. 그런데 게으른 여자에게도 그럴싸한 생각이라는 게 있다. 재료에서 요리로 찬란하게 변신해 식탁에 오른 그들을 후다닥 먹어 치우면 미안하지도 않단 말인가. 못생긴 얼굴도 찬찬히 뜯어보면 귀엽고 매력적인 구석이 있는 법. 하물며 식탁에 오른 재료야 말해 무엇 하랴! 최상을 유지하고 있었기에 선택되지 않았겠는가. 사람이든 물건이든 선택되었다는 건 곧 자부심과 연결된다. 자부심은 스스로를 고귀하게 여길 줄 안다. 상에 오른 식재료 역시 강한 자부심을 가지고 있을

터, 감탄 정도는 해 줘가며 먹어야 예의일 것이다.

야단맞은 이유는 또 있다. 빈 껍질만 널브러진 밥상을 그대로 놔두고 이를 닦는다는 사실이었다. 그것도 매우 공을 들여서. 시계를 보면서 3분을 채웠다. 어디선가 이 닦는 원칙을 들은 바 있어 실천을 했던 것. '하루 세 번, 음식 먹고 3분 내에, 3분 동안 닦는다.' 3. 3. 3의 원칙이다. 엄마는 그런 나의 굼뜬 행동에 숨이 깔딱깔딱 넘어갔다.

"아이고~ 이빨 빵꾸 나겄다! 이빨 닦아 벼슬할래?"

한때는 여덟 명의 우유 저장고였던 늘어진 젖가슴을 탕탕 치는 엄마를 나는 외사시눈으로 쳐다보면서 꼬박 3분을 채웠다. 벽에 걸린 시계의 분침이 지나는 숫자까지 확인해가며.

그렇게 행동이 느리고 굼뜬 데에는 분명한 이유가 있기 마련이다. 밥을 먹는 것까지는 좋은데, 설거지는 하기 싫다는 간접 표현이었다. 행동은 생각의 다른 언어다. 엄마는 소리로 표현되지 않는 나의 언어에는 관심을 가질 틈도 없이 삶이 가빴던 듯하다. 그런 엄마의 마음은 아랑곳없이 나는 부엌일에 대해서는 늘 수명을 다해가는 기계처럼 불안불안 했다. 장독에 가서 장을 퍼 오라고 대접을 건네주면, 나의 손목은 뼈가 부러지고 없는 듯 아래로 축 꺾였다. 엄마는 내 손에 들린 그릇이 떨어질세라 기겁을 하며 연년생인 언니를 불러 대신 일을 시켰다. 나보다도 겨우 365일을 더 산 언니는 전문가처럼 부엌일을 빠릿빠릿 후딱후딱 척척 해냈다.

언니와는 달리 나는 하루 세 끼 밥을 해야 하는 여자의 숙명에 좌절했다. 21세기를 살아가는 여성들에게는 밥하는 일이 '여자의 숙명이니 뭐니' 하는 세설 따윈 생소하게 들리겠지만, 20세기를 건너온 사람이라면 지금과 상황이 많이 달랐다는 걸 알 터이다. 엄마처럼 부엌으로부터 탈출을 하지 못하고 살아야 한다는 그 아뜩함이라니! 엄마는 시골에 살 때는 농사를, 도시로 이사 와서는 장사를 했다. 말하자면 워킹 맘이었다. 아버지랑 똑같이 밖에 나가 일을 하면서도 부엌일은 온전히 엄마 차지라는 사실에 나는 의문을 품었다.

부엌일에 대한 거부감은 예닐곱 살 때부터 드러났던 것 같다. 내 등에는 젖먹이 동생이 껌 딱지처럼 눌어붙어 있었다. 나는 그게 은근히 좋았다. 동생을 업고 있는 한, 부엌 바닥에 쪼그리고 앉아 불을 지펴야 할 필요가 없었으니까. 동생이 등에 업혀지면 무조건 밖으로 뛰어나가 놀았다. 아기의 기저귀가 흥건히 젖건 말건 개의치 않았다. 동생이 등에서 잠이 들면 업은 채로 방바닥에 엎드려 상상의 세계로 빠져들었다. 상대도 없이 혼자 이야기를 하며 보내는 시간이 짜릿했다. 등에서 동생을 내려놓는 순간 식구 중 누군가 나를 불러 이 일 저 일을 시킬 게 뻔했다. 고로 나는 등에 업힌 동생을 인질처럼 붙들고 있었다. 족쇄 같은 동생이라는 존재가 나에게 자유를 허락해주는 신적인 존재이기도 했다. 그런데 언제부터인가 동생은 더 이상 나의 등을 필요로 하지 않았다. 동시에 나는 그토록 거부하고 싶었던 부엌에 투입이 되고야 말았다! 피할 수 없는 운명이었다! 게으름의 달인인 나는 생각에 잠겼다. 어떻게 하면 게으름을 즐길 수 있는 시간을 벌 수 있을까? 방법은 딱 하나. 일을 후딱후딱 해치우면 찢어진 신문 쪼가리라도 들고 빈둥거릴 수 있다는 생각에 흥분했다. 할 일을 마치고 가장 편안한 자세로 늘어져 접어 두었던 페이지를 읽어 나가는 글의 달달함. 그 순간은 이제 막 짠 참기름보다도 더 고소했다.

일을 피하고 싶은 마음은 굴뚝같은데, 삶이란 게 개인적인 사정을 봐주는 법이 없다. 화덕인지 구덕인지 분간도 못하고 삼십 대를 보냈다. 오직 빈둥거릴 수 있는 미래만을 꿈꾸며. 하고 싶은 일을 하지 못하고 해야 할 일에 매몰되어 살아갈 때면 활짝 피어 있는 꽃을 생각했다. 씨앗 속에 감춰진 꽃의 열망을. 하루 빨리 피어오르고 싶었을 그 욕망을. 지금은 탐스럽게 웃고 있는 꽃도 남에게 털어놓지 못한 긴 인내의 시간이 있었을 거라고. 씨앗이 열려 싹이 고개를 땅 위로 내민 환희는 잠깐, 햇볕을 쬔다는 즐거움에 대한 대가의 혹독함. 강풍에 생사가 불투명했을 시간들. 쏟아지는 빗물에 쓸려가지 않기 위해 흙이고 자갈이고 모래이고 간에 잡히는 대로 움켜쥐고 있는 언덕에 태어난 뿌리의 절박함. 때론 땡볕의 횡포로 아사 직전에 이르는 경험에 이르기까지. 그래도 버티고 견딜 수 있었던 것은 씨앗이 품고 있는 열망 때문이었을 것이다. 언젠가는 활짝 피어날 수 있다는. 열매를 맺을 수 있다는. 그런 씨앗의 마음으로 나 역시 하루하루를 버텨냈다.

밥하기를 끔찍이도 싫어했던 게으른 여자는 밥 짓는 법을 강풍을 맞아가며 배웠다. 쓰나미가 밀려오면 밥통을 끌어안고 이겨냈다. 경제적 아사 상태에 있을 때에도 밥솥에 밥을 안쳤다. 그런 시간이 발효된 지금, 내 몸이 밥하는 법을 익혀 버렸다.

호르몬의 반격

〰〰〰〰 여자 나이 오십이 넘으면 별의 별 영양제를 다 챙겨먹는다. 얼굴이 화끈거리고 등에는 땀이 밴다. 이유 없는 짜증이 인다. 밤에는 잠이 오지 않아 올빼미처럼 앉아 있는다. 지금껏 아무렇지도 않았던 남편의 자잘한 행동들이 눈에 거슬린다. 국물이 맛있다고 후루룩 들이키는 소리도 소음으로 들린다. 음식 씹는 소리도 방해꾼이다. 코끝에 걸린 이물질에 부아가 치민다.

젊어서는 대범한 줄 알았던 남편이 촘촘하고 쫀쫀하기가 시루에서 자라는 콩나물 같다. 자식들은 모두 제 삶을 찾아 떠나고, 회사 일로 밖으로만 돌던 남편은 삶이 저물어가는 시기가 되어 집안에 눌러 앉는다. 그리고 애완견처럼 아내를 졸졸 따라다닌다. 아내는 친구들과 여행을 떠나고 싶은데 자신만을 쳐다보고 있는 남편이 족쇄처럼 다가온다. 생전 눈물이 뭔지도 모르며 살던 남편이 별 내용도 없는 드라마를 보며 눈물을 흘린다. 고집은 세 살 먹은 아들보다도 더 하다. 차라리 늦둥이 하나를 낳아 키우는 게 낫지 싶다. 퇴근을 해서 집에 돌아온 남편에게 조잘조잘 재잘재잘 이야기를 할라치면, '그래서? 어찌 됐는데? 어쩌라고?' 짜증 섞인 투로 결론만을 요구하던 남편이 더 이상 아니다. 살림하는 방법까지 챙기고 간섭을 하며 아이처럼 재잘거린다.

이러한 푸념은 오십 줄에 들어선 여자들의 한결같은 화제다. 그들은 삶이 우울하고, 짜증나고, 허무하고, 허전하다. 예전에는 그렇지 않았는데, 하면서 자가 정밀 분석에 들어간다. 주위 인생 선배들은 말한다. 호르몬이 뒤집어 놓은 생체 리듬이라고. 말도 하지 않았는데 신체적 정신적 상태를 콕콕 집어 진단을 해준다. 처방전까지 내려준다. 의사에게 가도 묘약이 없단다. 때론 여성호르몬 처방이 내려지기도 하지만 처방전을 들고도 그네들은 또 고민에 빠진다. 암을 유발시키기도 한다는데, 하고… 그렇듯 갱년기에 들어선 여자들 셋이 모이면 종합병원이 통째로 옮겨진 듯한 진풍경이다. 약에 대한 정보는 전문의를 무색케 한다.

아직 젊었던 나는 그녀들의 대화에 뒤통수를 긁적거렸다. 그녀들은 살아가고 있는 것이 아니라 죽을 날을 향해 가고 있는 것 같았다. 통통하고 팽팽하고 반질반질한 나의 피부를 바라보며 그네들은 꼭 한마디 하고 넘어갔다.

"나도 자기와 같은 시절이 있었거든. 조금만 기다려 곧 올 테니까."

그 말에 나는 그저 빙긋 웃으며 속으로 말했다. 나는 그런 시간이 오더라도 약이나 챙겨먹으며 시간을 보내지 않을 거라고. 어쩌면 그건 냉소였을 것이다.

그러던 어느 날이었다. 내 몸 속에 켜져 있던 스위치가 픽! 하고 꺼졌다. 나에게 물었다. 이게 뭐지? 어제까지만 해도 분명히 인생 축제에 참여하고 있던 기분이었는데… 나에게도 인생 축제가 끝난 시간이 다가왔다는 것을 그제야 알았다! 축제의 분위기를 되살리려 아무리 노력을 해도 허사였다. 삶이 주는 기쁨이 무엇이었는지 느껴지지 않았다. 식물인간이 된 듯한 착각에 빠져 들었다. 내 앞에 놓인 삶의 존재와 의미가 깨달아지지 않았다. 모든 것에 브레이크가 걸렸다.

여자에게 평생 딱 두 번 일어난다는 신체적 변화. 십대에 일어나는 변화는 여자로서 꽃을 피우기 위한 것이라면, 갱년기 때 일어나는 변화는 꽃이 지기 위한 아픔이라고 누군가가 말했다. 꽃이 피어나기 위한 혼란보다도 지는 아픔이 더 지독한 모양이다. 꽃잎이 떨어지기 시작하면 곧 계절의 끝이 온다. 계절이 끝나가는 시간을 겪는 불안감. 신체인들 어찌 허망하지 않을까. 그래서 몸도 울부짖는 모양이다.

급격한 나의 정신적 변화에 남편은 당황했다. 뭘 물어도 나로부터 대답을 들을 수 없었다. 나의 기분을 전환시킬 수 있는 것이라면 어디든 찾아다녔다. 허사였다. 나는 썩어가는 뼈 없는 물고기처럼 무력했다. 혀끝에 감돌던 맛도 잃었다. 맛집이라고 소문난 레스토랑에 가서도 딱 한 입 먹으면 수저를 놓았다. 최소한의 영양으로 생명을 유지해나가기 위해 몸은 사력을 다했다. 세상이 나를 작은 상자에 가두어버린 느낌이었다. 주위 사람들이 던지는 말이 가시처럼 몸에 박히기 시작했다. 꿈쩍거릴 때마다 박힌 가시가 나를 찔러댔다. 속에서 피가 맺혔다. 맺힌 피가 흘러내렸다. 흐르던 피가 홍수처럼 범람했다. 매일 잠자리에 들면서 죽음의 사자를 초대했다. 살아왔던 시간들이 부패해 악취가 진동하는 것 같았다. 그 지독한 악취에 비명을 질렀다.

그래도 곁에 좋은 친구들이 있었다. 사막에서 물을 찾다가 만난 사람들처럼 챙겨주기를 마다하지 않았다. 그들은 나에게 꽃이 되어주었다. 함께 겪는 시간들을 나누었다. 한 친구는 지독한 호르몬의 난동에 부대끼며 살고 있었다. 약간은 가부장적이며 고압적인 남편을 지고지순하게 모시며 사는 모습에 우리 모두는 늘 경외의 눈빛으로 바라보았다. 그러던 그녀의 몸에서 일어난 호르몬의 반란은 가히 기록 유산에 등재될 만했다. 호르몬은 그녀의 두통을 후려갈겼다. 머리를 들 수 없는 아픔으로 시달리던 어느 날, 남편에게 두통약을 사오라고 부탁이 아닌 명령을 했다. 평생 부인이 사다 준 약을 먹고, 물까지 컵에 따라주는 것만 마셨으니, 부인이 어떤 두통약을 먹고 있는지를 아는 것은 그로서 지독히 어려운 숙제였을 것이다. 마켓에 두어 번 왔다 갔다 하다가 드디어 부인이 원하는 두통약을 사 왔다. 머리가 갈라질 듯한 통증을 호소하는 부인 앞에서 약병을 오픈하려고 하는데 쉽지 않았다. 이리 돌려도 저리 돌려도 열리지 않는 약병을 붙들고 쩔쩔매는 남편을 향해 그녀는 외쳤다.

"그것도 하나 못하니?"

엄격하고 근엄하기 그지없는 남편을 향해 던진 호르몬의 반격! 그 이후 집안의 분위기는 반전되었다. 남편이 고분고분해지기 시작한 것이다. 호르몬이 아니면 꺾을 수 없던 남편의 기개였다.

우리는 가끔 부부동반 모임을 가졌다. 회오리를 일으키는 호르몬이 가자고 하면 남편은 아내의 수족인 듯 따라야 한다. 그날도 우리는 함께 모였다. 그때 두통약 사건에 휘말렸던 남편이 풀 죽은 목소리로 다른 남편들을 향해 말했다.

"난 요즘 마누라 눈치 보고 사느라 바빠요."

그러자 무엇을 물어도 대답은 하지 않고 검지손가락 하나로 의사 표시하는 부인을 둔 남편이 말했다.

"눈치 보고 사는 것은 그나마 나아요. 저는 요즘 아내 손가락 끝만 보고 사는 걸요."

노가리 세미나

〰〰 열두 살 즈음이었다. 난 무척이나 낯설고 생경한 세상과 맞닥뜨렸다. 사람들의 손에는 식칼과 쇠갈고리 그리고 쇠꼬챙이가 들려 있었다. 작고 날카로운 칼에서부터 작두와 같이 무지막지하게 생긴 칼까지!

그런 무시무시한 도구를 사용하는 사람들은 주로 여자들이었다. 여자들은 작고 뾰족한 칼로 앙다물고 있는 입을 가차 없이 쑤시고 벌리기를 마다하지 않았다. 단 한 톨의 연민도 없이. 어디 그뿐이던가, 갈고리로 아가미를 찍는 건 예사였다. 시퍼런 칼로 목을 사정없이 내리치기도 했다. 목이 톡 잘려나가는 장면에 난 오싹했다. 휴일도 없는 재래시장 풍경이었다. 그런 기억 때문인지 나는 지금도 쇠로 만든 물건을 거부하는 경향이 있다. 영화나 드라마에서 폭력 장면이 나오면 무의식적으로 눈을 감는다. 그런 아찔한 기억에도 불구하고 그곳은 나를 태동

시킨 장소이기도 했다. 그래서인지 고향을 방문할 때면 어김없이 닫힌 과거의 문을 열고 그곳으로 향한다.

　그날도 나는 하릴없이 묵은 풍경을 찾아 나섰다. 가건물이 있던 자리에는 그럴 듯한 현대식 건물이 들어서 있었다. 텃밭에서 뜯어온 채소를 팔고 있는 촌로들과는 달리 건물 안에 들어선 점포 주인들은 나름 세련미를 갖추고 있었다. 얼굴에는 시간을 먹은 주름도 보이지 않는 젊은 주인들도 눈에 띄었다. 에어컨이 돌아가는지 공기도 가뿐하고 상쾌했다. 점포 주인들의 호객 행위에도 굴하지 않고 나는 서둘러 그 건물을 나왔다. 깔끔하게 단장된 그곳에는 날 흔드는 추억이 숨쉬고 있지 않았기 때문이다.

　이제 갓 익힌 찐빵에서 김이 모락모락 솟아오르고 있는 골목으로 발길을 돌렸다. 고깃덩어리를 걸어두고 팔던 정육점은 정갈한 냉장고 시설을 갖추어 놓고 고기의 신선도를 자랑하고 있었다. 냉장고에 보관된 선혈이 깃든 고기의 육질을 바라보며 나는 생각했다. 그 옛날, 밖에 걸어두고 팔던 고기를 사먹었던 사람들은 탈이 나지 않았을까? 단 한 번도 고기를 먹고 배탈이 났다고 와서 따지는 사람을 본 적이 없다. 오뎅을 직접 튀겨 팔던 집을 지나쳤다. 진열대에 쌓인 오뎅은 아직도 그대로인데 기름이 펄펄 끓는 솥은 보이지 않았다. 돼지 목을 삶아 진열해 놓은 진풍경은 그때나 지금이나 다름없었다. 돼지들은 조상의 유언을 깍듯이 모시는지 참담한 죽음 앞에서도 역시 미소를 잃지 않고 있었다.

재래시장이라는 한정된 공간에서 사용되어지는 언어가 어린 나의 마음을 무겁게 했던 기억이 있다. 교양이나 예의를 갖추거나 차릴 여유가 없던 사람들이 쏟아내는 언어의 줄기에는 가시와 홈이 여기저기 패여 있었다. 여과 과정 없이 뱉어내는 언어는 자연히 싸움의 불씨가 되곤 했다. 거의 매일 서로 악다구니를 서슴지 않던 광경. 작두같이 격하고 과한 단어들이 시장을 수선스럽게 휘저었다. 다툼의 원인은 대부분 자리의 경계 때문이었다. 단 한 발짝이라도 더 넓게 차지하려는 욕심에 손바닥만 한 소쿠리를 옆으로 슬쩍 들이미는 얄팍한 수법이 공공연히 자행되곤 했던 것이다. 그러나 단 한 뼘일지언정 그건 결코 묵인될 수 없는 행위였다. 자리의 넓이는 곧 하루 매상과 직결되므로. 생계에 대한 그네들의 집념은 올림픽 선수들을 뛰어넘을 정도였다. 경계를 넘어선 상대의 소쿠리는 가차 없이 공중으로 치솟았다. 날개 없는 바구니는 바닥에 처박히는 수모를 겪곤 했다. 바구니는 그렇다 치더라도 바구니에 든 내용물 역시 수난을 면치 못했다. 한두 푼 벌어 자식들 입에 풀칠을 해줄 그 금쪽같은 물건이 죽사발이 된 상황에 품위 있는 반응을 보일 위인이 어디 있겠는가? 그 순간부터 격투가 시작된다. 아이 셋을 낳은 여자는 호랑이도 때려 잡는다는데, 그 시절 우리 엄마들은 어디 세 명만 낳았겠는가? 그러니 도깨비도 후려칠 힘이지.

그네들에게 현실은 퀼트를 하듯 하루하루 삶의 조각을 이어가야만 살아남을 수 있었다. 그러기에 자신이 쏟아낸 말이 화살이 되어 상대 심장에 박히고, 독이 되어 오장육부가 썩어가고, 뇌에 지진이 일든 말든 상관할 바가 아니었다. 나와 내 가족의 생계를 위해서는 활화산을 일으키는 언어쯤 대수가 아닌 듯싶었다.

싹둑 잘리고 후벼파는 듯한 그네들의 언어에 휘감긴 나날을 보내며 나는 말과 마음의 통로를 보았다. 퉁명한 말씨는 여유 없는 마음을 대신 표출한 결과였다. 깐죽거리며 비웃는 말씨는 시기나 질투의 암시였다. 뒷담화나 험담은 자신의 처지를 불만족스럽게 여기는 사람들의 불가피한 선택이었다. 침묵으로 일관하는 사람들도 없지 않았다. 그들은 오직 생계에만 열중했다. 그토록 시끄럽고 소란스럽고 어수선한 생활 터전에서도 소방관처럼 상황을 진화하는가 하면, 피곤하고 지친, 때론 절망감에 사로잡힌 사람들 마음을 웃음으로 정화시켜주는 유머의 산실도 있었다.

우리 옆집 아저씨는 재래시장에서 몇 안 되는 남자상인 중 한

명이었다. 이제 갓 시골에서 이사 온 우리 가족을 따뜻하고 푸근하게 대해주었다. 그는 학식이 많은 것도 아니었다. 부유하지도 않았다. 그저 투박하고 탄탄하게 생겼다. 그럼에도 그는 늘 주위를 화기애애하게 만들었다. 들쑤신 벌집처럼 요란하던 시장에서 그는 단연 돋보이는 존재였다. 그는 가능한 한 친절한 말만을 골라 했다. 필요한 말을 해야 할 땐 유머를 곁들였다. 적절한 순간에 발휘되는 순발력 있는 언어는 삶의 윤활유 역할을 했다. 그가 있는 곳에는 삶의 부정적 기류가 맴돌지 않았다. 지친 삶의 공간을 여유롭게 만드는 그의 품격을 보며 나는 자랐다. 여유를 이끌어내는 힘은 학식도 부도 아닌 마음이었다.

그가 살았던 집터로 가는 길에는 반찬 가게와 떡집들이 죽 들어서 있었다. 그런데 그날 팔 물건을 진열해놓고 있는 가게들 사이에 떡니가 빠진 듯이 한 가게의 문이 닫혀 있었다. 재래시장은 삼백육십오일 휴일도 없이 운영되는 곳이다. 그런 곳에 누군가가 그날 장사를 하지 않고 문을 닫는다는 건 매우 위급한 상황을 알리는 것과 같았다. 마치 경보 사이렌처럼. 나는 순간적으로 그 주인에게 일어났을 일이 걱정되었다. 녹물이 흘러내린 자국이 선명한 셔터 문에 안내문이 붙어 있었다. 그 안내문을 살필 요량으로 가까이 다가갔다. 갈색 종이박스를 손으로 찢어 만든 것이었다. 이제 갓 글씨를 배운 아이처럼 글씨가 삐뚤거렸다. 박스에 골이 패인 부분에서는 볼펜을 여러 번 눌러 쓴 정황이 엿보였다. 색바랜 간판에는 '○○젓갈'이라고 적혀 있었다.

안내문은 이렇게 쓰여 있었다.

'꼴뚜기 세미나에 이어 노가리 세미나가 있어 3일 동안 문을 닫습니다.' ― 주인 백

나는 그 안내문 앞에서 그 옛날 촌로들처럼 얼굴에 주름을 자글자글 끓이며 한동안 서있었다. 마치 오래 전 옆집 아저씨의 후예를 마주하고 있는 듯이.

이별은 스스로 기록하지 않는다

〰️〰️ 난 현재 인생 알바 중이다.

알바를 하는 곳에서는 떡을 비롯해 다양한 품목을 취급하고 있다. 알바를 하면서 문득문득 드는 생각이 있다. 인생은 나의 계획이 아닌 신의 계획에 의해 흘러가는 건 아닌가 하고. 현재 내가 하고 있는 알바도 나 스스로 그린 인생 도면에는 존재하지 않았던 것이기 때문이다. 지금 이 순간은 한 점 먹물처럼 내 인생 도면에 똑 떨어져 있을 뿐이다. 인간에 대한 신의 계획을 놓고 사람들은 쉽게 팔자라고 말한다. 난 '팔자'라는 말을 싫어한다. 그래서인지 몰라도 '팔자'라는 단어를 '도전'이라는 지우개로 열심히 지우며 살아왔다. 지워가다 보니, 나의 인생 도면 어느 한 부분에 신의 붓끝에 의해 '떡'이라고 그려 넣어진 부분이 있었다.

젊은 시절, 21세기가 되면 나는 알약 하나로 한 끼를 거뜬히 해결할 수 있으리라는 게으른 마음을 은근히 품고 살았었다. 그런 기대와는 달리 사람들은 아직도 떡을 먹는다. 어떤 사람은 떡을 추억으로 먹고, 어떤 이는 밥 대신 먹고, 또 누구누구는 군것질 정도로 여기며 먹는다. 추억으로 떡을 먹는 사람들은 진열대에 놓인 떡을 어루만지며 집어들고, 밥 대신 먹는 이들은 후딱 집어들고, 군것질로 먹는 이들은 만지작거리는 것도 부족해 손가락으로 꾸욱 눌러보기까지 한다. 손가락 힘 조절에 실패하면 포장에 구멍이 나고 만다. 그렇게 망설이다가 집어든 이들도 있고, 구멍 난 떡을 뒤로 한 채 눈길을 다른 먹거리로 돌리는 이들도 있다.

　내가 걸어온 인생 길목에 떡고물처럼 떨어져 있는 '떡'에 대한 이야기가 하나 있다. 그 기억은 컬러가 다 지워진 흑백으로 내 안에 남아 있다. 기억해낼 이유조차 없었던 그 시간이 오늘은 유난히 생생하게 떠오른다.

　한 친구가 있었다. 내가 하이힐을 신어도 민자 신발을 신은 그녀의 키와 보조를 맞출 수 없었던 비애! 그녀는 화장을 하지 않아도 반질거리는 피부를 가진 반면, 나의 피부는 평범함의 극치에 달했다. 환경과 상황이 뒷받침되었더라면, 그녀는 재능 있는 발레리나로도 이름을 날릴 수 있지 않았을까 생각해본다. 선천적으로 발레리나의 발목을 가지고 태어났다고 무용 지도 교사가 말을 했을 정도였다니까. 거기에 비하면 나의 짧고 굵은 다리는 대책 없이 튼튼하기만 했다. 단순한 컬러의 옷을 입고 다녔던 나와는 달리 그 친구는 번쩍번쩍 화려한 패션을 선호했다. 그런 성향 때문인지 그녀는 평생 패션의 흐름을 좇는 사업을 잘도 했다.

그녀와 나는 청춘이 지나는 길목에서 친구가 되었다. 스타일이 다르고 성향도 달랐지만, 생을 목도하는 측면에서 공통점이 있었다. 함께 지냈던 시간은 그다지 길지 않았다. 몇 개월 남짓. 그 몇 개월이 우리를 평생 친구로 남게 했다.

우연히, 우리는 가장이 없는 한 가족을 알게 되었다. 그 가족은 허리를 굽히고 들어가야 하는 집에 살고 있었다. 6학년생인 딸이 끙끙 앓고 있었다. 다급히 수술을 하지 않으면 안 되는 상황. 그 당시 의료체계와 경제상황이 지금과는 확연히 차이가 났고, 의료보험도 없었던 때다. 아이 엄마는 장애를 안고 있었다. 친구와 난 고심에 빠졌다. 우울했다. 그 친구도 나도 경제적으로 아직 빙하기. 젊었으니까. 하지만 그 안타까운 상황을 젊음의 눈은, 마음은, 그저 지나치지 못하고 해결 방법을 모색하기에 골몰했다.

그날 우리는 비스듬히 놓인 길을 터벅터벅 걷고 있었다. 그때였다. 늘 지나치면서도 무관심했던 방앗간이 눈에 들어왔다.

곡물도 팔고 떡도 만들어 파는 곳이었다. 순간 친구가 나를 쳐다보며 눈빛으로 물었다.

'떡?'

나도 눈빛으로 대답했다.

'그래. 떡!'

우린 동시에 서로에게 말했다.

'근데 돈이 없잖아!'

우리 둘은 방앗간 앞에서 잠시 망설이다가 안으로 들어섰다.

"떡 좀 주문하려고 하는데요."

"얼마치?"

두 말, 세 말? 그 수치는 기억나지 않는다. 다만 우리가 말한 숫자를 듣더니 주인 남자가 눈을 동그랗게 뜨며 반문했다.

"그 많은 떡을 뭣에 쓰려고?"

"팔게요."

"팔아?"

"근데 우리가 지금 돈이 없어서…. 팔고 나서…."

주인 남자는 우릴 위아래로 훑어보더니 결단을 내렸다.

"좋아. 세상 한번 믿어보지 뭐."

약 이틀 후, 떡 방앗간을 찾아갔을 때 우리는 눈이 휘둥그레지고 말았다. 주문한 떡이 산더미처럼 놓여 있었기 때문이다!

더럭 겁이 났다. 이 많은 떡을 어떻게 팔지? 하루에 모두 팔지 않으면 문제가 생길 터였다. 주변 친구들 서너 명에게 긴급 도움을 요청했다. 작은 바퀴가 돌돌 굴러가는 이민가방(칠팔십 년대에 외국으로 이민 갈 때 선호했던 자루 가방)에 떡을 나눠 들었다. 친구들이 어떤 방법으로 그 많은 떡을 팔든 그들이 알아서 할 일. 우리가 문제였다. 어디서 어떻게 떡을 팔아야 할지 몰라 망설이다가 용기를 내 서울행 버스에 올랐다. 빈민가가 많은 성남 지역보다는 돈 흐름이 좋은 서울이 떡을 팔기에 더 나을 거라는 판단이었다.

발레리나 발목을 가진 그녀와 튼튼한 내 다리의 협업으로 온종일 그 무거운 가방을 끌고 다니다 보니 어느새 가방이 가벼워졌다. 버스에 오를 때 무거운 떡 가방으로 인해 받았던 주위의 가시 돋친 눈길과는 달리, 돌아오는 길에는 홀가분한 천 가방을 돌돌 말아 들고 가뿐히 버스에 올랐다. 그날 저녁, 도움을 요청했던 친구들 역시 빈 가방을 들고 우리 앞에 나타났다. 친구들은 지역 일대 가게들을 돌며 팔았다고 했다. 해가 질 무렵 우린 방앗간 주인에게 떡값을 치렀다. 떡값을 건네받은 주인은 너털웃음을 웃었다. 그 웃음 속에는 믿었던 세상에 대한 따스함이 묻어나왔다. 우리도 그 따스함을 공유했다.

떡을 판 돈으로 아이 수술비용을 거뜬히 치를 수 있었다. 수술을 무사히 마친 아이의 얼굴은 더 이상 빛바랜 벽지 컬러가 아니었다. 고통이 떠난 얼굴에 비친 미소는 맑았다. 수술비용을 지불하고 남은 금액은 아이가 중학교에 갈 때 교복을 맞춰 입도록 당부했다. 우린 허리를 굽혀 그 집을 나왔다. 아이 엄마의 눈에서 떨어지던 눈물방울이 꾸깃꾸깃한 돈을 적시던 영상은 기억의 명화다.

그런 기억을 함께 공유했던 친구가 그 기억을 꺼내볼 수 없는 곳으로 오늘 떠났다. 갑작스러운 세상과의 이별, 그 또한 자신이 그렸던 인생 도면에는 표기가 되어 있지 않았을 것이다. 자신의 이별 기록은 스스로 하는 것이 아니기에.

오늘 이후, 떡은 나에게 기억에서 추억으로 넘어갔다. 앞으로 누군가가 검사와 같은 어조로 떡의 고향에 대해 물어도, 떡 포장에 구멍을 내어도, 생각 없이 많이 샀다며 반품을 해도, 떡의 양이 적다고 따져도, 맛이 없다고 불평을 해도, 난 이성을 내쫓는 감정에 더 이상 휘둘리지 않을 것이다. 떡은 나에게 삶의 화폭인 추억을 안겨주었으므로. 나의 삶에 따스한 기운을 감돌게 하므로.

전설을 잃다

〰️　　12월은 추억을 담는다. 크리스
마스의 유래가 어떻게 시작이 되었든, 이제는 종교적 차원을 넘
어 문화로 뿌리를 내리지 않았나 싶다. 어느 작은 모임에서 크
리스마스에 대한 특별한 추억을 이야기해달라는 부탁을 받았
다. 그 모임에서 유일한 유색인이었기에 그런 부탁을 받은 것
같다. 자신들과는 전혀 다른 배경을 가지고 있는 자그마한 동
양인은 어떤 크리스마스의 추억을 가지고 있을까 매우 궁금했
던 모양이다.

　아무리 염색을 해도 돌아서면 허연 뿌리가 삐죽삐죽 올라오
는 세대에게 젊은 날 크리스마스의 추억은 어떤 것이 있을까.
호화로운 크리스마스 장식은 없었던 것 같다. 색종이로 고리 모
양을 만들어 벽을 치장했던 기억이 새롭다. 거리에는 크리스마
스 캐럴이 울려 퍼지고, 동네 교회에서 울리는 종소리가 마음

을 따뜻하게 해주었다. 가정에서 서로에게 선물을 주고받았던 기억은 없다. 어쩌다 살만한 집에서 알록달록 크리스마스 불빛으로 장식을 해놓으면, 동사무소 직원이 나와 "사모님, 이러시면 안 됩니다." 하면서 자제를 당부했다는 이야기도 있다. 그때 그 시절 크리스마스는 개인적인 의미의 절기라기보다는 집합적인 의미의 절기가 아니었나 생각한다.

그런 크리스마스의 배경을 가진 내가 아이를 낳아 기르면서 집합적인 크리스마스의 분위기를 개인적인 크리스마스 분위기로 바꿔가는 데에는 약간의 시간과 노력이 필요했다. 크리스마스가 일 년 중 가장 의미 있는 절기로 자리 잡은 낯선 땅에 뿌리를 내리려 안간힘을 쓰고 있는 묘목의 안타까움이었다고나 할까.

아이들은 크리스마스가 며칠 남았는지 꼬막손으로 헤아린다. 산타에게 보낼 목록은 크리스마스가 다가올수록 길어만 가고, 그 산타의 목록을 흘끗 훔쳐보는 산타의 마음은 목록이 달러로 환산되어 걱정이 불어나던 시절이 있었다.

크리스마스가 아이들에게는 설렘으로, 남편과 나에게는 고심으로 다가오던 어느 해 12월. 그해 12월은 유난히 종종거리는 일상이었다. 어린 세 자녀의 산타 목록을 생각하면서 마음까지 바빠지고 있었다. 아이들은 텅 빈 거실을 보면서 크리스마스트리가 있어야 산타가 선물을 가지고 오는데 아직 크리스마스트리가 없다며 안달이었다. 남편과 나는 꾀를 내어 아이들을 진정시키고자 했다. 올해는 산타가 크리스마스트리까지 직접 가지고 온다는 연락이 왔으니, 조금만 더 참고 기다려보자고. 아이들은 감격스러운 눈빛이었다.

크리스마스이브, 우리 부부는 바쁜 일정을 마치고 늦게야 귀가했다. 아이들은 산타가 가져올 트리를 기다리다 지쳐 잠들어 있었다. 우리는 크리스마스 쇼핑이 거의 끝난 마지막 순간에 허겁지겁 구매한 산타 목록의 선물들을 포장하기에 바빴다. 정작 선물 포장을 마치고 한시름 놓는 끝에 아차 싶었다. 트리가 없었다! 남편은 뒤뜰로 나갔다. 서 있는 나무들을 주욱 둘러보았다. 그중 초록색 나무를 점찍었다. 다른 나무들과는 뚝 떨어져 덩그러니 서 있는 작은 초록색 나무. 남편은 다급한 산타가 되어 톱으로 살금살금 그 나무를 자르기 시작했다. 밤이 깊어 소음을 만들면 안 되었기에 전기톱을 사용하지 않았다. 슥삭슥삭 겨우 자른 나무의 밑동에 구멍을 내었다. 받침대를 놓고 나무를 세우는데 나무가 똑바로 서지 못했다. 아무리 노력해도 여전히 삐딱하게 기울었다. 더는 지체할 수 없어 그냥 비뚜름한 모양 그대로 두고 장식을 하기 시작했다. 새벽녘이 되어서야 완성이 되었다. 아이들의 감격적인 환호를 기대하며 우리는 깊은 잠 속으로 빠져들었다.

　이른 아침, 아이들이 흔들어 깨우는 소리에 눈을 떴다. 방방 뛰는 세 아이들의 손에 이끌려 거실로 향했다. 거실 한가운데 급조된 크리스마스트리가 알록달록한 전구의 무게마저도 힘에 겹다는 듯 쨌긋이 서 있었다. 크리스마스트리를 본 세 아이들은 떨어진 턱을 다물지 못했다. 약속이나 한 듯이 뒤뜰 베란다로 향했다. 그곳에는 잘려나간 나무의 밑동이 아직도 허연 살을 그대로 드러내놓고 있었다. 아이들은 그 밑동과 거실에 놓인 크리스마스트리를 번갈아보며 생각하는 것 같았다. '산타가 어찌하여 우리 집 뒤뜰 나무를….'

　남편은 혼돈스러운 눈빛을 하는 아이들을 향해 외쳤다.

　"아참, 어제 아빠가 산타로부터 전화를 받았었는데, 북극에서 싣고 온 크리스마스트리가 하와이에 도착하기 전에 모두 동이 나고 말았다고 하더니 뒤뜰에 있는 나무로 트리를 만들어주고 갔구나!"

　그러자 아이들은 의심스러운 눈길로 아빠를 쳐다보며 말했다.

　"진짜야~~??"

화요일에는 립스틱을

일주일 중 화요일은 존재감 없는 사람과 같다. 딱히 싫어하는 것도 좋아하는 것도 아닌 그저 그런 날이다. 그런 요일을 나는 기다린다.

팬데믹과 함께 마스크를 쓰기 시작하면서 하루를 준비하는 시간이 짧아지고 간편해졌다. 아침에 일어나 부스스한 머리를 건성건성 빗어 넘기기만 해도 외출 준비 완성이다. 나이가 들어가면서 잘 받지도 않는 화장품을 발라대느라 뺨을 탁탁 두드리지 않아도 된다. 그저 로션 몇 방울 찍어 바르면 그만이다. 생얼로 밖을 돌아다닌다는 걸 상상도 하지 못했던 시간들이 한순간에 사라졌다. 처음엔 어색함이 없지 않았지만, 시간이 지나면서 익숙해지기 시작했다. 그런데 그 뒤에 달랑 붙어 있는 아쉬움은 도대체 뭘까?

여자에게, 청춘이든 노년이든, 립스틱은 특별한 의미를 갖는다. 여유이고 여백일 것이다. 아름다움을 향한 열정일 것이다. 흐트러지지 않는 모습을 보이겠다는 예의일지도 모르겠다. 그런데 이제는 그런 예의를 찾지 않아도 되는 편한 세상이 되었다. 이것저것 찍어 바르지 않아도 누군가로부터 게으르다는 눈치를 받지 않아도 된다.

그런 시류에 따라 흘러가고 있을 때였다. 화장품 유통업을 하는 친구에게 오랜만에 안부 인사차 전화를 걸었다. 늘 그렇듯 시시콜콜한 대화가 오가고 나서야 비즈니스 근황을 물었다. 친구는 겨우 명맥만 유지하고 있노라고 했다. 난 백치 같은 질문을 또 던졌다. 왜? 친구가 속을 비워낸 목소리로 대답했다. 여자들이 마스크를 쓰고 다니니 화장품이 팔리지 않는다는 것이었다. 특히 색조화장품 라인인 립스틱은 전멸이라고 말했다. 그 말에 정신이 퍼뜩 들었다. 코비드-19의 여파가 지근거리에 있음을 미처 인식하지 못했다!

통화 후에 나는 서랍장에 무질서하게 놓여 있는 색색의 립스틱들을 들여다보았다. 한때는 차 안에서 또는 공중화장실에서 반쯤 지워지고 없는 립스틱을 칠하느라 핸드백 한켠에 들어있던 소지품이었다. 나의 분신과도 같았던 그 소지품이 버려진 듯 그곳에 나뒹굴어져 있었다.

그러던 어느 날, 드디어 나에게도 마스크를 벗고 외출할 수 있는 기회가 찾아왔다. 바쁜 일상에 허덕이는 나를 향해 내민 빛의 손길이었다. 빠듯한 스케줄을 살짝 비켜갈 수 있다는 것이 좋았다. 일에 열중하는 남편에 비해 나는 노는 일에 늘 귀가 솔 깃한 편이다. 친구들로부터 놀자는 연락이 오면, 하던 일도 후 다닥 뭉뚱그려 쑤셔 넣고 헐레벌떡 뛰어간다. 때론 남편의 눈 치를 슬금슬금 보기도 하면서(남편은 결코 그 사실에 동의할 수 없겠 지만). 그런 성향을 가진 내가 요즘엔 일만 한다. 그러니 얼마나 몸이 근질근질하겠는가 말이다!

여름이면 해까지 길어 노는 일에 익숙하고, 놀고 싶은 마음 에 젖은 몸은 더 근질거린다. 월요일까지 온몸을 지탱하고 있 는 뼈들은 마치 규격에 맞지 않은 재료로 지어진 건물처럼 삐 거덕거리지만, 화요일 새벽이면 난 좀비처럼 벌떡 일어난다. 그 리고 놀기 위한 채비를 서두른다. 그 순간만큼은 몸이 삐거덕거 리지도 않는다. 가뿐하다. 운전대 핸들을 잡은 손도 가볍고 엉 덩이도 들썩인다.

몇 년 전, 남편과 나는 인생에서 두 번째 은퇴를 선언하고 은 둔에 들어갔다. 은퇴 후 나는 마음이 시키는 것만 하며 살았다. 먹고 자고 쓰다가 멍하니 앉아 있기도 했다. 그것도 지루하면 푸른 잔디에 놓인 공의 꽁무니를 따라다녔다. 그렇게 인생의 여 백을 즐기다가 넘어져 병원 신세도 졌다. 오른팔을 다쳐서 모든 일이 불편했다. 익숙지 않은 것에 익숙해지기 위해 무지막지한 노력을 해야만 했었다. 왼손으로 글을 쓰는 연습까지. 왼손은 급작스럽게 들이닥친 힘든 노동에 경기까지 일으켰다. 어찌어찌, 겨우겨우, 가까스로 그런 시간을 견뎌 가고 있는데, 눈빛만 봐도 속이 훤히 들여다보이는 내 옆 남자가 부지런을 떨다가 사다리와 함께 이층 높이에서 톡 떨어지는 대형사고가 일어났다! 그것도 할로윈 저녁 때. 집을 찾아오는 어린아이들에게 나눠줄 사탕을 준비해놓은 채로. 그가 사다리와 함께 떨어진 자리는 시멘트 계단이었다!

겨우 오른손을 쓸 수 있게 된 난 빛의 속도로 뛰어가 그를 일으켜 세웠다. 그 순간 나의 오른쪽 손목에 느껴지던 통증도 사라지고 없었다. 그의 얼굴은 컴퓨터 화면에 나타난 백지와도 같았다. 그런 와중에도 그는 나에게 펜과 백지 한 장을 요구했다. 나는 놀라움에 부들부들 떨리는 손으로 종이와 볼펜을 그에게 내밀었다. 그런 상황에서 왜 종이와 펜이 필요한지를 알지 못한 채 말이다. 유서를 쓸 것 같지는 않았다. 그는 갑자기 1,2,3…를 10까지 쓰더니, 이제는 A,B,C를 쓰기 시작했다. 영어 알파벳을 끝까지 써내려갔다. 그런데 'S'를 빼먹은 게 아닌가! 난 속으로 생각했다. 'S'가 빠졌는데… 과연 온전한 상태인가? 자꾸 빠진 'S'가 신경에 거슬렸다. 그렇게 우리는 온몸이 우지

끈우지끈 와장창 무너지는 소리를 들으며 인생의 또 다른 면을 경험해 가기 시작했다.

뭐든 새로움에 적응해 가는 시간은 더디고 힘들다. 그동안 먹고 자고 쓰고 놀던 나는 딱 그 분량만큼 지금 왈칵왈칵 토해내고 있다는 생각이 든다. 새벽부터 밤까지 종종걸음이다. 왜 나에게 이런 시간이 주어졌는지 알 수도 이해할 수도 없다. 다만 오늘이 과거가 되고 나면 이해할 수 있으리라 믿는다.

이런 와중에도 난 화요일이 있어 좋다. 나의 소박한 여유와 소비가 누군가의 생업에 활기가 생성되길 바라며 립스틱을 정성들여 바른다.

함께하는 길

그때 아내님은 죽음을 생각하고 있었다. 크리스마스시즌이었다. 다른 사람들은 환희의 축배를, 아내님은 홀로 어둠의 잔을 들고 있었다. 자식도 성년이 되어 집을 찾아오면 손님이다.

아내님 역시 손님을 맞아 분주했다. 분주하던 가운데 쏟아진 혈뇨! 처음에는 옅게, 두 번째는 왕창. 젊은 오빠를 떠나보낸 경험이 있었던 아내님이다. 죽음이 오빠를 갉아먹고 있을 때, 선홍색의 혈뇨를 목격했던 기억이 아내님을 덮쳤다. 크리스마스시즌에는 우울함을 보여서는 안 된다. 절기에 대한 예의다. 아내님도 예의를 갖추었다. 가족들 앞에서, 친구들에게 그리고 축제 분위기에. 행동은 예의를 갖추면서도 아내님의 생각은 장례식에 초대할 사람들의 리스트를 작성하고 있었다.

혈뇨를 쏟기 며칠 전, 남편님과 아내님 사이에 약간의 신경전이 있었다. 남편님은 운전 중에 누군가에게 문자를 대신 보내달라고 아내님에게 부탁했다. 매사에 자상하고 세심하고 꼼꼼하고 철저한 남편님은 자신의 전화 메시지 창을 열면 두 번째 내지 세 번째에 상대와 문자 통화 내역이 있을 거라는 것까지 촘촘히 일러주었다. 아내님은 남편님의 메시지 창을 열었다. 남편님 말대로 모모 씨 성이 저장되어 있었다. 망설임 없이 남편님이 보내라는 메시지를 신속하게 띵~ 전송했다.

밤 열 시쯤, 남편님의 입에서 탄식이 흘러나왔다. 아내님이 보낸 메시지는 같은 성 씨를 가진 다른 사람에게 전송이 되었던 것이다. 조금은 덜렁대고 부주의한 아내님에 대한 불만이 남편님의 입에서 터져 나왔다. 아내님은 석고대죄일 수밖에.

그런데 일은 몸통이 아닌 옆구리에서 터졌다. 남편님의 찌그러진 인상을 본 우리 집 손님이 아내님의 편을 들고 나선 것이다. 남편님은 황당하고 억울해 했다. 3차 대전 조짐이 보일락 말락 한 상태에서 아내님은 입을 다물었다. 아내님이라고 할 말이 전혀 없었던 건 아니다.

찬찬하면서도 유능한 남편님은 검소하기까지 하다. 근검절약의 달인인 유능한 남편님이 사용하는 모든 기기의 기대수명은 장구하다. 사망선고가 내려진 물건도 남편님 손에만 들어가면 다시 몸을 추스른다. 그러므로 남편님은 새것에 대한 목마

름이 없다. 그뿐만이 아니다. 면밀하고 빈틈없는 남편님은 이름을 저장할 때 상대의 정보를 세세히 기록해 둔다. 노안이 찾아온 이후 글자 크기가 왕방울만해졌다. 그러다 보니 화면에 '임모모'라는 이름 전체가 보이는 게 아니라, '임' 혹은 '모모'까지만 보이는 경우가 허다하다. 아내님이 실수로 날린 문자메시지역시 머리통인 성 씨만 보이는 바람에 일어난 실수였다. 여기까지가 취급부주의 결함을 가진 아내님의 변명이다.

그리고 며칠 후 혈뇨가 쏟아진 것이다. 냉전 중이라 아내님은 홀로 장례 절차를 준비할 수밖에 없었다. 아내님은 그 누구에게도, 비록 남편님이라 할지라도, 죽음을 미리 알리지 않기로 결심했다. 그런데 비밀은 풍선 같아서 때론 빵! 때론 찔끔찔끔 새어 나가기 마련이다. 아내님의 비밀도 매가리 없이 흘러나가고 말았다.

아내님은 혈뇨 경험이 있었던 친구에게 넌지시 이것저것을 묻고 있었다. 큰소리도 아니고 소곤소곤 쑥덕쑥덕 귀엣말로 속삭였는데, 남편님의 레이더에 딱 걸리고 말았다. 냉전 중엔 레이더의 출력이 더욱 강한 법. 소통 가능 기회를 엿보고 있기 때문이다. 남편님은 중대한 사항임을 인지하고 바로 대화 모드로 들어섰다. 아내님은 설명 대신에 혈뇨 사진을 내밀었다. 쏟아진 뻘건 혈뇨를 '찰칵' 핸드폰에 저장해 두었던 것.

남편님은 아내님이 매우 심각한 부주의 결함을 가지고 있다는 불만도 까맣게 잊은 채 스토커처럼 전화기를 붙들고 비뇨기과 전문의 수색에 나섰다. 들뜬 연말 분위기에 밀려 약속 잡기가 쉽지 않았다. 종합병원 의사와의 약속은 몇 주 후에나 가능했다. 결국 약속을 최대한 빨리 잡을 수 있는 개인병원을 택했다. 남편님은 쏟아진 혈뇨사진을 담당의사에게 보여주었다. 아내님은 의사의 질문에 성실히 답했다. 그러자 의사는 동그라미와 네모가 들어간 질병일 가능성도 있다고 말했다. 아내님은 어쩔 수 없이 자신의 장례 절차를 남편님에게 부탁해야겠다고 마음먹었다.

　크리스마스를 맞아 집에 왔던 손님은 떠나고, 남편님과 아내님만 집에 남게 되었다. 정밀검사를 받기로 한 날이 다가왔다. 남편님과 아내님은 침묵과 동행한 채 병원에 도착했다. 남편님은 환자 질문지를 직접 작성했다. 부주의 결함이 있는 아내님이 못미더워 그랬다고는 생각지 않는다. 냉전의 장벽을 걷어내고자 하는 제스처였다고나 할까.

　결과를 기다리는 동안에도 남편님과 아내님의 침묵은 계속되었다. 방문과 화장실 문 여닫는 소리가 둘 사이의 대화였다. 아내님은 이제 장례식 절차보다는 남편님에 대한 생각으로 꽉 차 있었다. 앞으로 매사에 좀 더 세심하고 꼼꼼하게 확인하는 습관을 가져야겠다고, 음식도 태우지 않고 접시도 깨지 않을 것이라고, 남편님이 빨래를 세탁기에 넣기 전에 자신이 미리미리 넣어야겠다고, 아침밥을 홀로 먹도록 두지 않겠다고, 화가 나도 입을 닫지 않고 '미안하다'는 말을 먼저 해야겠다고, 문자를 보낼 때 윙크 이모티콘을 남발해야겠다고. 잘 될는지 모르겠지만….

검사 결과를 듣기 위해 담당의사를 만나는 날이었다. 병원은 걸어서 갈 수 있는 거리에 있었으나 남편님은 새벽부터 부산을 떨었다. 의사를 만나기 전에 남편님은 사무실에 전화를 걸어 정밀검사 분석표가 나왔는지를 확인했다.

남편님과 아내님은 진료실을 들어서는 의사의 표정을 살폈다. 긴장의 순간이었다. 긴장감에 밀려 남편님이 먼저 의사에게 결과를 물었다. 그러자 의사는 아내님의 검사 결과표를 내밀며 말했다. "신장결석입니다." 그 말에 둘은 냉전 이전의 눈빛으로 서로를 바라보았다. 남편님과 아내님은 주차장 주변에 쌓여있는 눈과 겨울햇살이 들려주는 이중주의 화음을 들으며 병원문을 나섰다.

그리움만 남았다

≋ "느그 작은오빠 점심으로 라면 끓여줘라잉~"

엄마가 장사를 나가며 중학생인 나에게 내린 엄명이었다. 아마도 그날은 주말이었을 것이다, 작은오빠가 점심때 집에 밥을 먹으러 온 걸 보면. 고교생이었던 오빠는 늘 책을 끼고 살았다. 공부를 잘해서 책을 끼고 살았는지, 아니면 책을 끼고 살다 보니 공부를 잘하게 되었는지는 알 길이 없다. 같은 반 아이들 몇몇을 집으로 데려와 영어와 수학을 가르치기도 했었다. 그게 과외라는 걸 후에 알았다.

내가 오빠를 위해 종종 라면을 끓이던 시기는, 깡촌에 살다가 도시로 이사를 온 지 이삼 년쯤 되어서였다. 빨간색 봉지에 들어있는 꼬불꼬불한 라면이 환장하게 맛있는 냄새를 풍겼다. 난 그저 냄새로만 맛을 보았다. 라면 한 개로는 오빠의 출출한 배를 채울 수 없었기에 엄마는 라면의 양을 늘렸다. 밀가루로 반죽한 수제비를 떼어 라면과 함께 끓이면 양이 배가 되었다. 그날도 난 작은오빠를 위해 엄마표 수제비라면을 끓였다.

문제의 발생은 양은냄비의 물이 너무 빨리 끓는다는 데에 있었다. 오빠가 곧 온다기에 끓는 물에 수제비를 뚬방뚬방 떼어 넣고 라면을 풍덩 담갔다. 양은냄비에서 수제비와 라면이 화르륵화르륵 솟구치기 시작했다. 오빠가 오길 기다리는데 오빠는 오지 않았다. 석유곤로 불을 끄자 양은냄비 속에서 발버둥 치던 수제비와 라면이 풀썩 주저앉았다.

나는 냄비뚜껑을 수시로 열어보았다. 뚜껑을 열 때마다 수제비와 라면이 통통해지면서 양이 늘고 있었다. 다른 때보다도 훨씬 많아진 냄비 앞에서 유혹이 일기 시작했다. 평소보다도 양이 많으니 꼬불꼬불한 라면 한 줄 건져 먹는다고 표가 날 것 같지 않았다. 냄비 앞에 쭈그리고 앉아 한 줄 먹고 두 줄 먹고, 또 먹고. 그러다 보니 냄비에 라면은 거의 보이지 않고 팅팅 불은 수제비만 남았다.

걱정이 된 나는 상황을 수습하기 위해 두툼해진 수제비에 물을 더 부었다. 휘이익 저으니 밑에 몇 가닥 남은 라면이 툭툭 끊겼다. 외관상으론 라면이 조금 더 많아 보였다. 하지만 라면은 더 이상 꼬불거리진 않았다. 그때 오빠가 들어서는 소리가 들렸다. 난 툭툭 끊어진 라면을 젓가락으로 수제비 위에 고명처럼 올려놓았다. 수제비라면 밥상을 받은 오빠는 퉁퉁 불은 수제비라면을 한참 동안 바라보았다. 난 내가 라면을 건져 먹었다는 사실을 이실직고하지 않았다. 오빠는 수저를 들며 말했다.

"그러잖아도 배가 고팠는디, 오늘따라 수제비 양이 많다야."

나는 대답도 하지 않고 천장만 바라보았다.

그 이후, 시간이 종종걸음으로 우리 곁을 지나갔다. 얼굴에는 시간이 지나간 흔적들이 여기저기 묻어있다. 이제 나는 오빠에게 온갖 종류의 라면을 끓여줄 수 있는데… 수제비도 넣지 않고 오롯이 라면만 끓여줄 수 있는데… 하지만 내가 아무리 맛있는 라면을 끓여도 오빠는 이제 그 라면을 먹을 수 없게 되었다.

어버이날(2023), 노모에게 활짝 핀 빨간 선인장 꽃 여덟 송이 안겨주고 오빠는 떠났다. 연로하신 노모가 화분에 물을 주는 것조차 버거울까 염려되었던 모양이다. "가끔 물을 주면 된다"는 말이 유언이 되고 말았다. 어쩌면 그 선인장처럼 노모 곁에 오래오래 있고 싶었는지도 모르겠다. 본인도 몰랐던 본인의 이별 준비였는지도… 삼십여 년 넘게 보지 못한 딸에 대한 그리움 역시 꼬옥 안고 떠났을 것이다. 작은오빠는… .

이별은 그리움을 남긴다. 서로에게.

이성애의 수필에는 가족을 비롯한 숱한 사람들의 애절한 서사가 있고, 단단한 문장마다 빛을 뿌리는 서정적 순간이 있다. 소중한 줄도 모르고 지냈던 평범한 일상을 새롭게 불러오고 해석하여 사랑과 위로의 언어로 바꾸어 내는 정성과 공력이 충일하게 배어 있다.

팔려가는 소의 눈처럼 붉은 색조를 띠던 아버지의 눈, 어스름한 어둠에서 한발짝 빛속으로 다가서던 엄마의 얼굴, 달빛에 비춰진 앉은뱅이 책상 앞에 앉은 오빠의 그림자, 바람에 대한 분노나 원망을 떠나보낸 여인의 얼굴 등에서 작가는 세상의 가파른 운명과 사랑을 하염없이 읽고 기록해 간다.

그리고 밤하늘 별이 차지한 면적보다도 더 좁은 귀퉁이에서 영어 알파벳을 배우던 시절과 이제 "꿈은 평등하게 꿀 수 있는 거"라고 말할 수 있게 된 시간을 모두 아프고도 아름답게 써간다.

이처럼 작가는 자신이 기억해야 할 것들을 기꺼이 한 문장 한 문장 담아가면서, 일견 부서지기 쉬운 것들, 일견 가녀린 빛으로 다가오는 순간들에 대하여 지극한 사랑의 언어를 건넨다. 그 사랑의 마음은 앞으로도 '작가 이성애'를 가능하게 해 줄 가장 근원적인 에너지가 될 것이다.

우리는 살아가면서 때로 잊어버리고 때로 그리워하던 무언가를 이성애의 수필을 통해 만나고 또한 사랑하게 될 것이다. 이제 그 언어의 심장에 손길을 뻗어본다.

유성호(문학평론가, 한양대학교인문대학장)